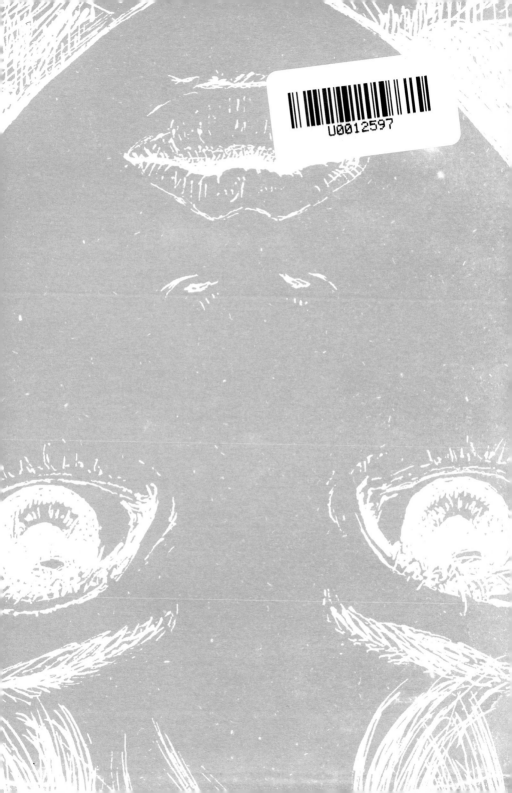

昔日，

有魔女。

魔女 I

igarashi daisuke

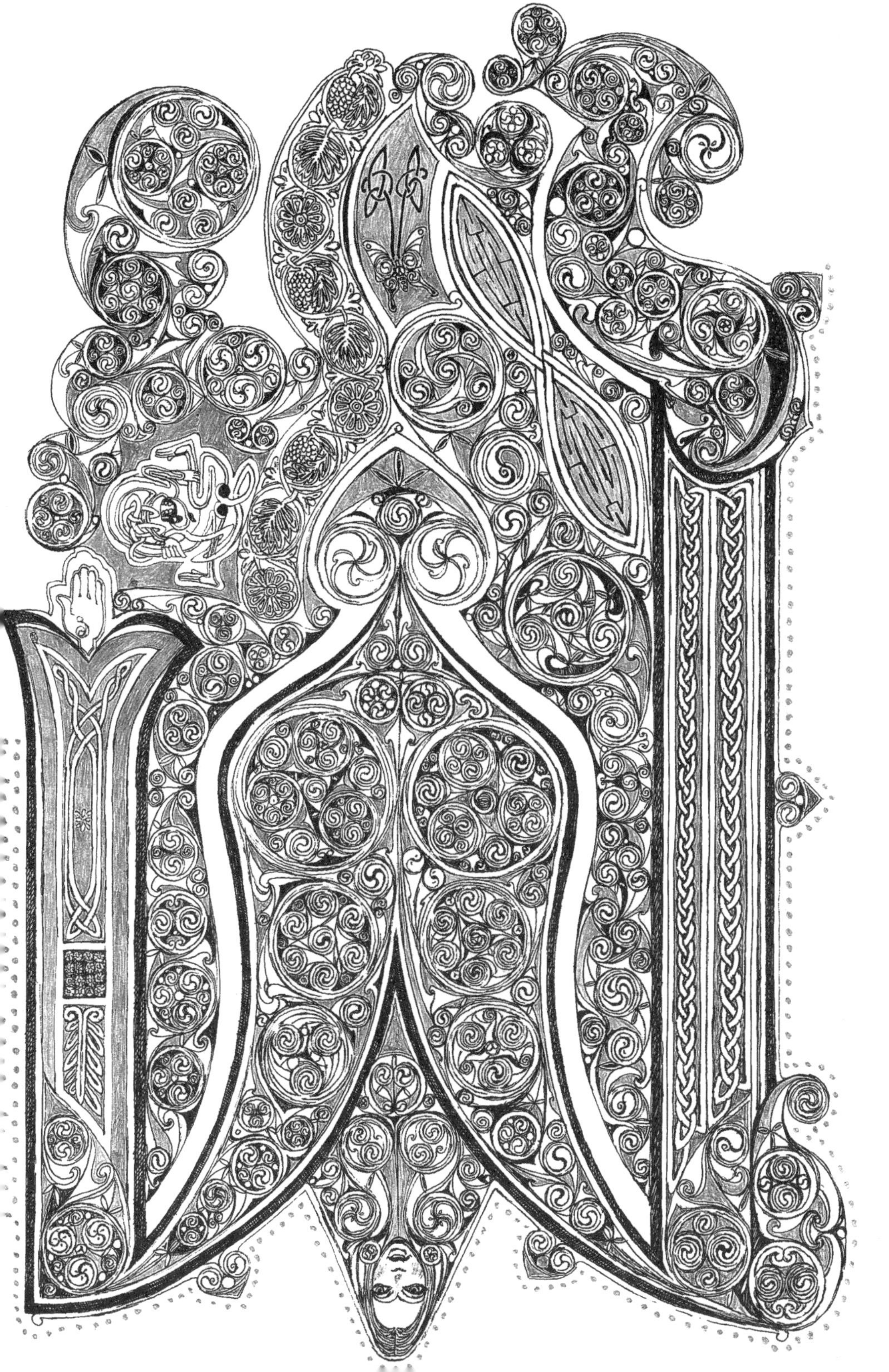

魔女　第I集　目次

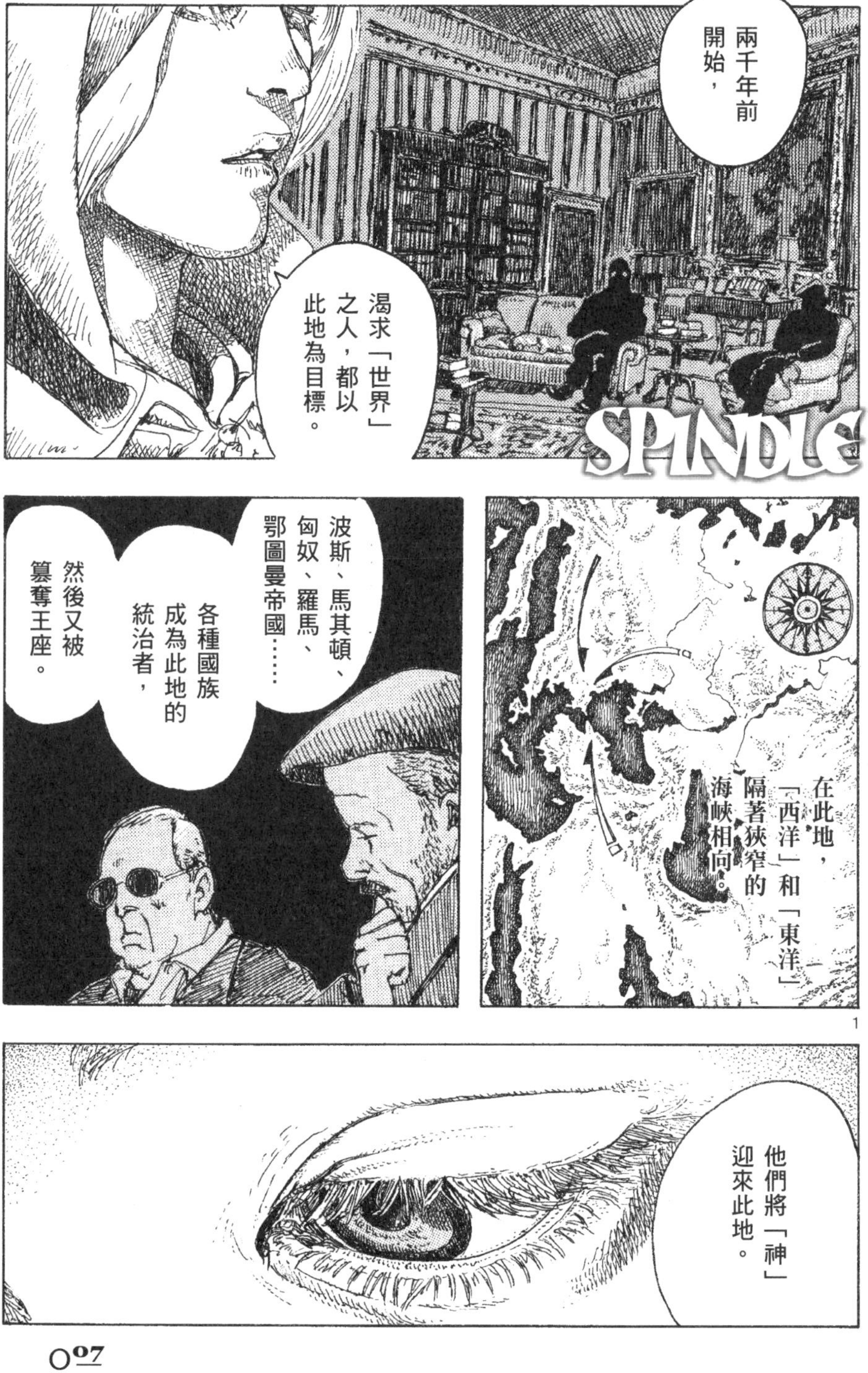
兩千年前開始，
渴求「世界」之人，都以此地為目標。
SPINDLE
在此地，「西洋」和「東洋」隔著狹窄的海峽相向。
波斯、馬其頓、匈奴、羅馬、鄂圖曼帝國……
各種國族成為此地的統治者，
然後又被篡奪王座。
他們將「神」迎來此地。

強悍的「可汗」所瞻仰的異形諸神。
偉大的皇帝所擁護的有翼之神。
從法老手中奪來的天之柱。
十二使徒。
大王愛慕的女神。

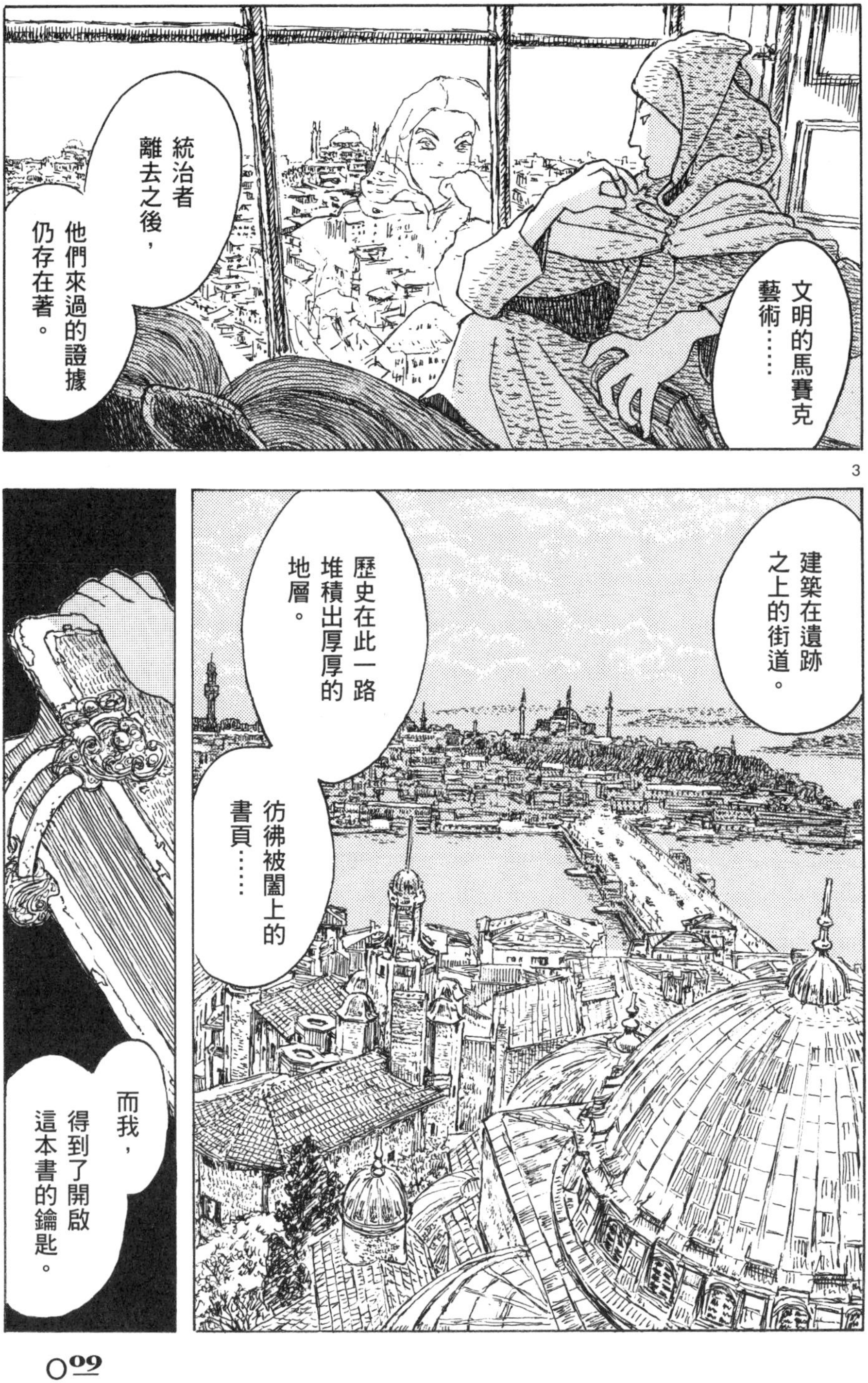
文明的馬賽克藝術……
統治者離去之後，他們來過的證據仍存在著。
3
建築在遺跡之上的街道。
歷史在此一路堆積出厚厚的地層。
彷彿被闔上的書頁……
而我，得到了開啟這本書的鑰匙。

4

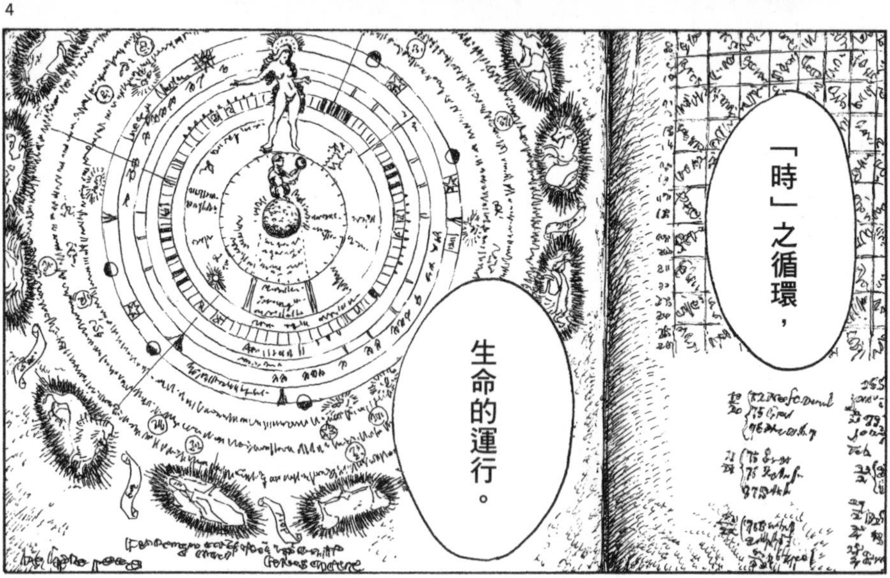

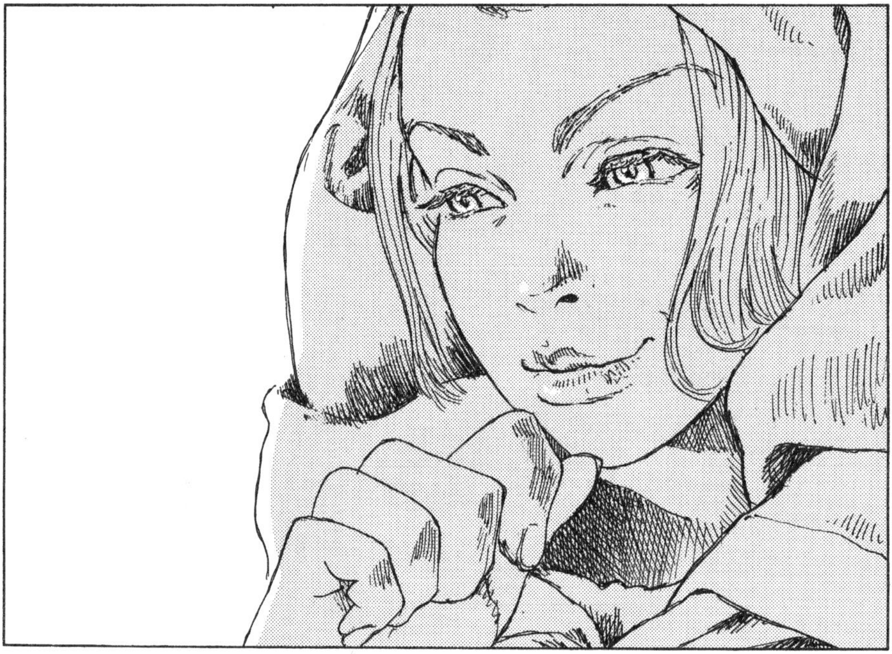

5

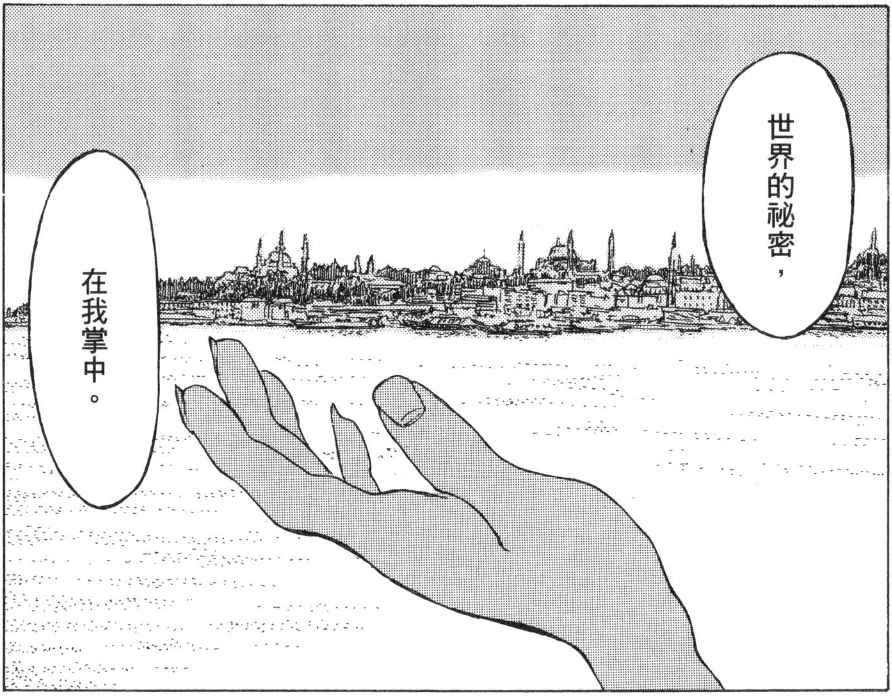

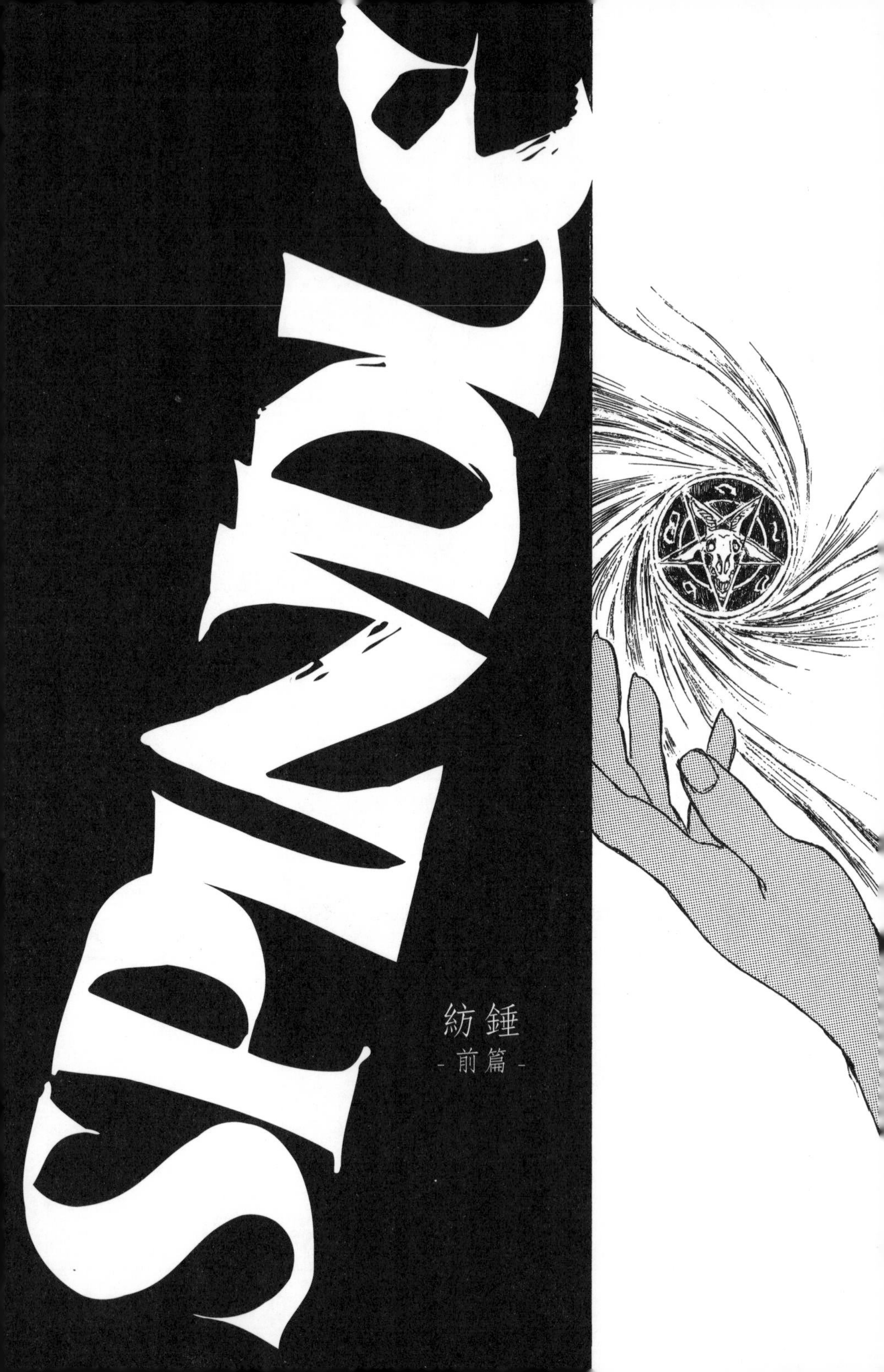
紡錘
- 前篇 -

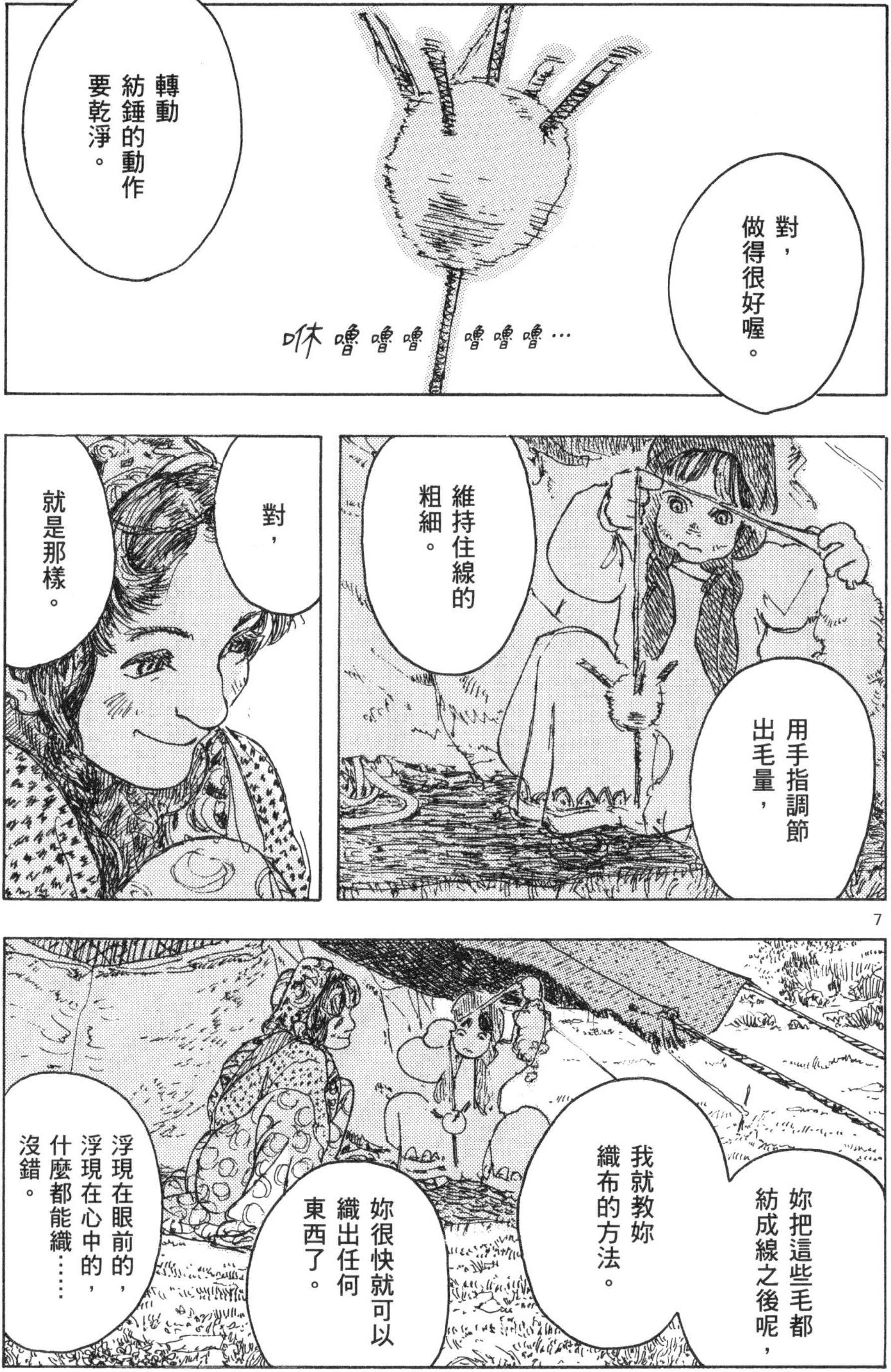
對，做得很好喔。
咻嚕嚕嚕 嚕嚕嚕…
轉動紡錘的動作要乾淨。
用手指調節出毛量，
維持住線的粗細。
對，
就是那樣。
妳把這些毛都紡成線之後呢，
我就教妳織布的方法。
妳很快就可以織出任何東西了。
浮現在眼前的，浮現在心中的，什麼都能織……
沒錯。
7

織出妳的世界。

——首都一千公里外　游牧民族野營地——

雖然不到
神創造世界
那種地步，
但至少要
小心留意地織，
10

偶爾將祕密
織入其中。
男人們
還不知情吧。

等我一下，馬上就好了。
咩
乖乖乖，真是好孩子。
希拉露。
喔喔喔，
「傳話」是妳織出來的吧。
是的。
喔——

似乎真的是「傳話」呢……
大鳥降落在我的腦海中，
我的手……自己就動起來了。
這件事先別告訴男人們。
因為他們看待古老信仰的態度很神經質。
啊，他沒差。
爺爺呢？
鳥還在嗎？
是。
妳解讀得了這個吧？
是。

聽好了。
妳的任務，是把「古老大智慧」的傳話，
一字不差地傳達給該傳達的對象。
這也是我們部族的女人，自太古以來的工作。
那麼……圖案說該傳達的對象在哪裡呢？
在「首都」。
這樣啊，很遠呢。
該什麼時候出發？
「立刻上路」。

真是的，人手都已經不足了，
偏偏還織出那種「傳話」！
我不是在生氣啦。
媽，對不起……
難得要去一趟都市，妳就仔細走走看看，了解一下那是什麼地方吧。
這也算是一種學習囉。
是。
順便買「凝乳酶」回來。
好的……「凝乳酶」？
凝、乳、酶。
我姐住在首都，
所以妳要先去見她，拜託她多方關照一下喔。
是……
爺爺。
爸，你怎麼啦，拿什麼槍啊？

沙漠裡有豹。
她會搭卡車去啦！有人會載她！
我們得騎半天才會到卡車走的路。
瞪
你要送我一趟嗎？
話說回來，豹早就滅絕了呀！
去去就回。
我出發囉！

16

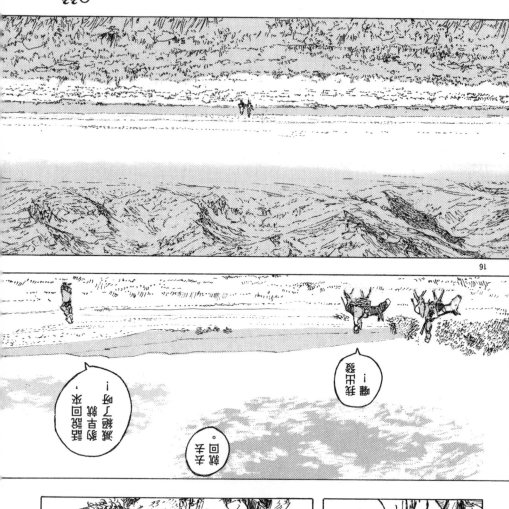

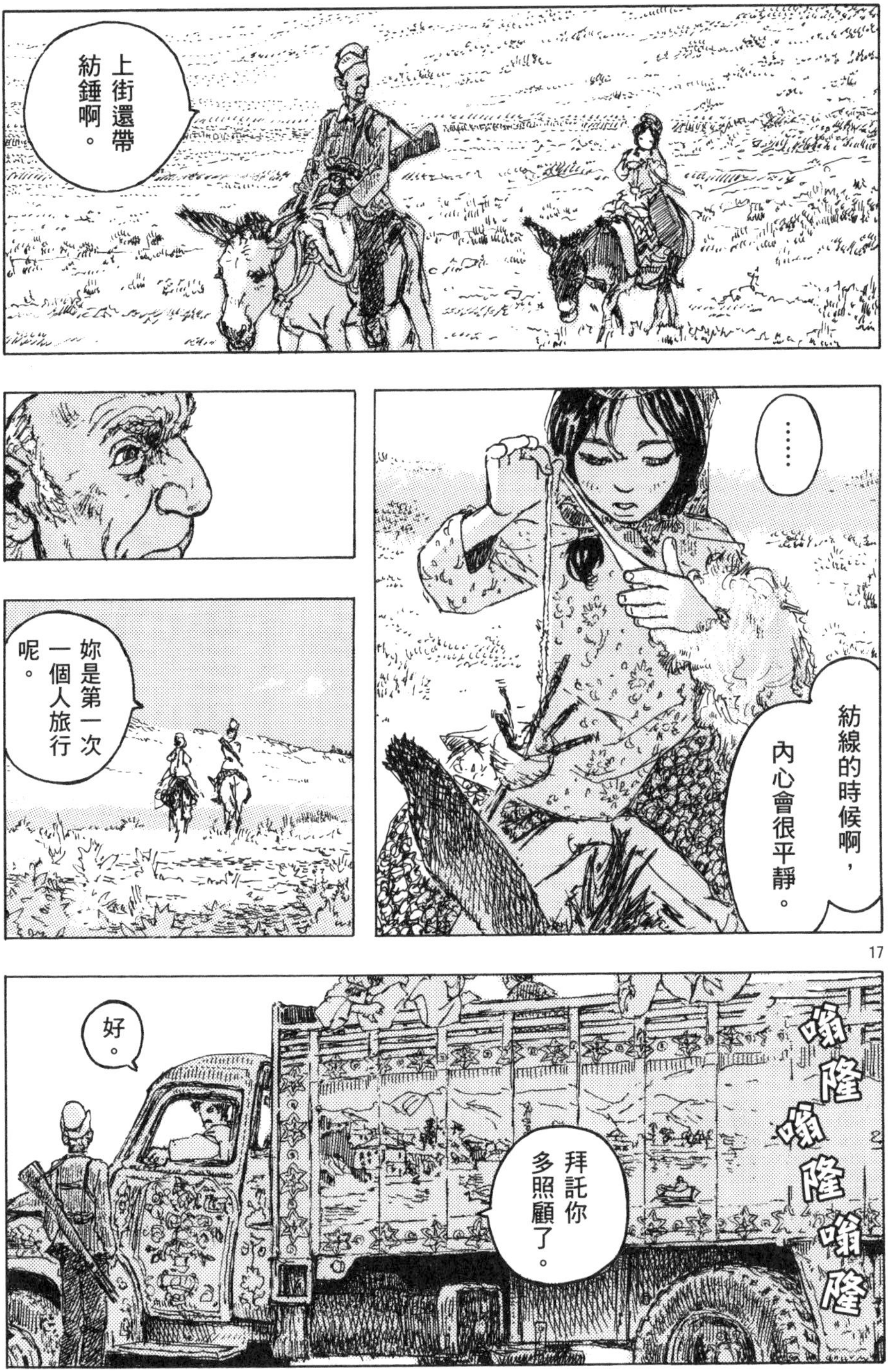
上街還帶紡錘啊。
……
紡線的時候啊，內心會很平靜。
妳是第一次一個人旅行呢。
好。
拜託你多照顧了。
嗡隆嗡隆嗡隆

17

嗡隆隆隆
隆隆隆隆隆隆隆
隆隆隆隆隆隆

19

三十年前・首都
20

21

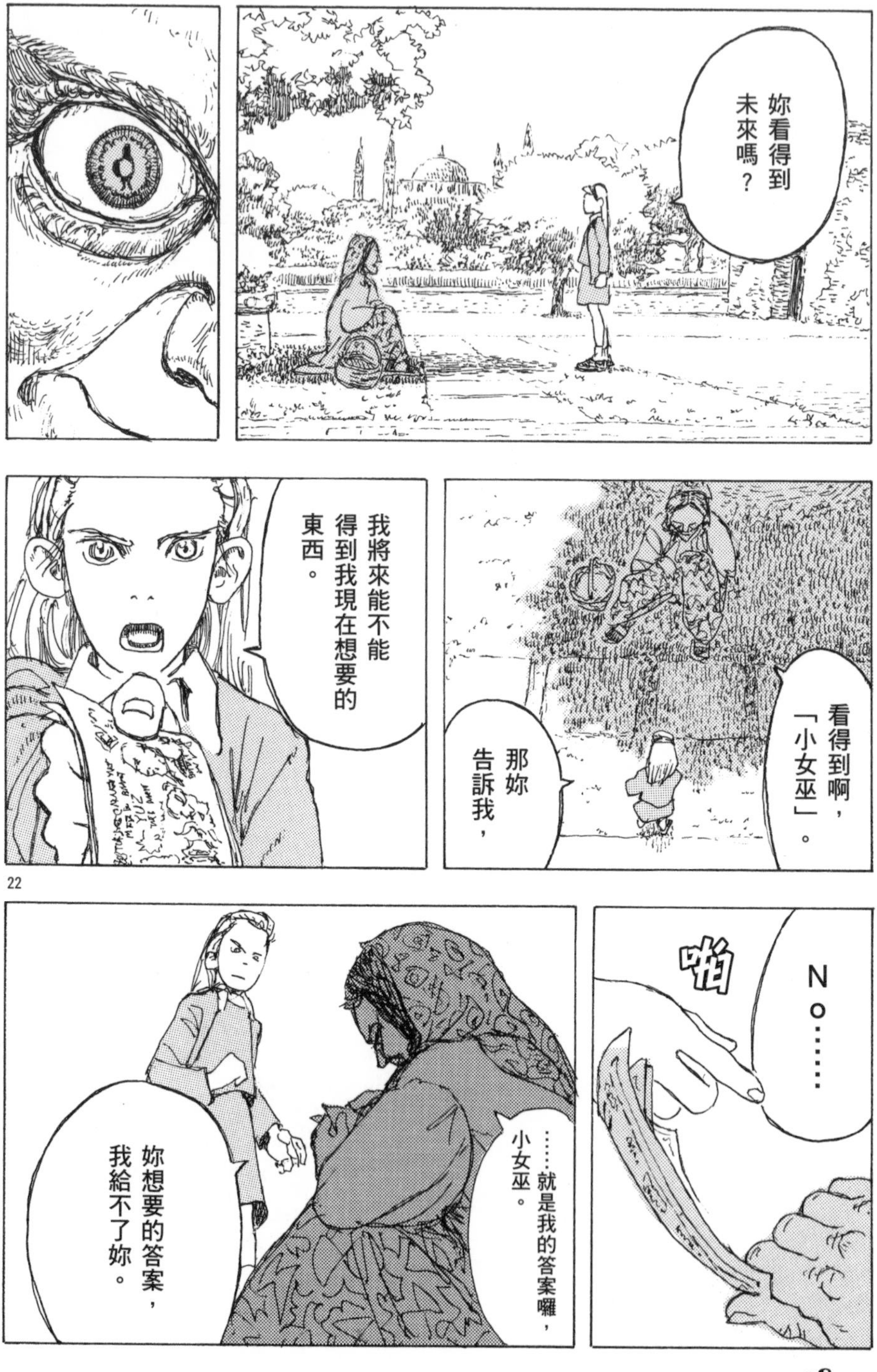
妳看得到未來嗎？
看得到啊，「小女巫」。
那妳告訴我，
我將來能不能得到我現在想要的東西。
N o……
啪
……就是我的答案囉，小女巫。
妳想要的答案，我給不了妳。

22

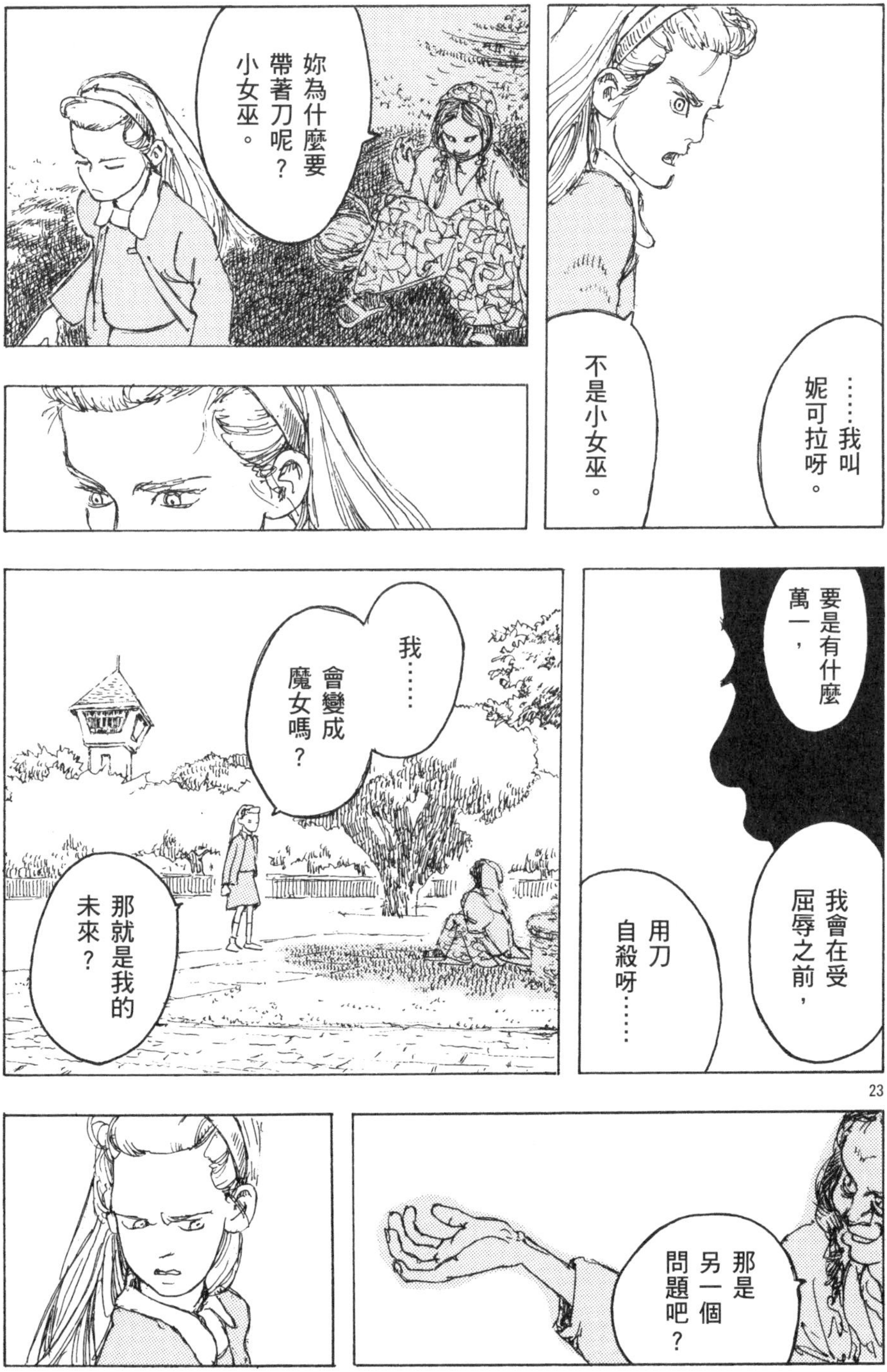
……我叫妮可拉呀。
不是小女巫。
妳為什麼要帶著刀呢？小女巫。
要是有什麼萬一，
我會在受屈辱之前，
用刀自殺呀……
我……會變成魔女嗎？
那就是我的未來？
那是另一個問題吧？

24

為什麼不能和我結婚呢？
我到底有哪裡……
25
妳是異教徒。
你騙人！
就算我改變信仰，
你應該也不會想和我結婚吧。
妳知道就好。
走吧，別礙事。
哥，
這樣妮可拉會跑回英國啦！
啥……

26

別碰我！
真是的，這女人是怎樣。
米馬爾，別把這種女人帶進來。
要死的話去別的地方死吧。
哥！
妮可拉……

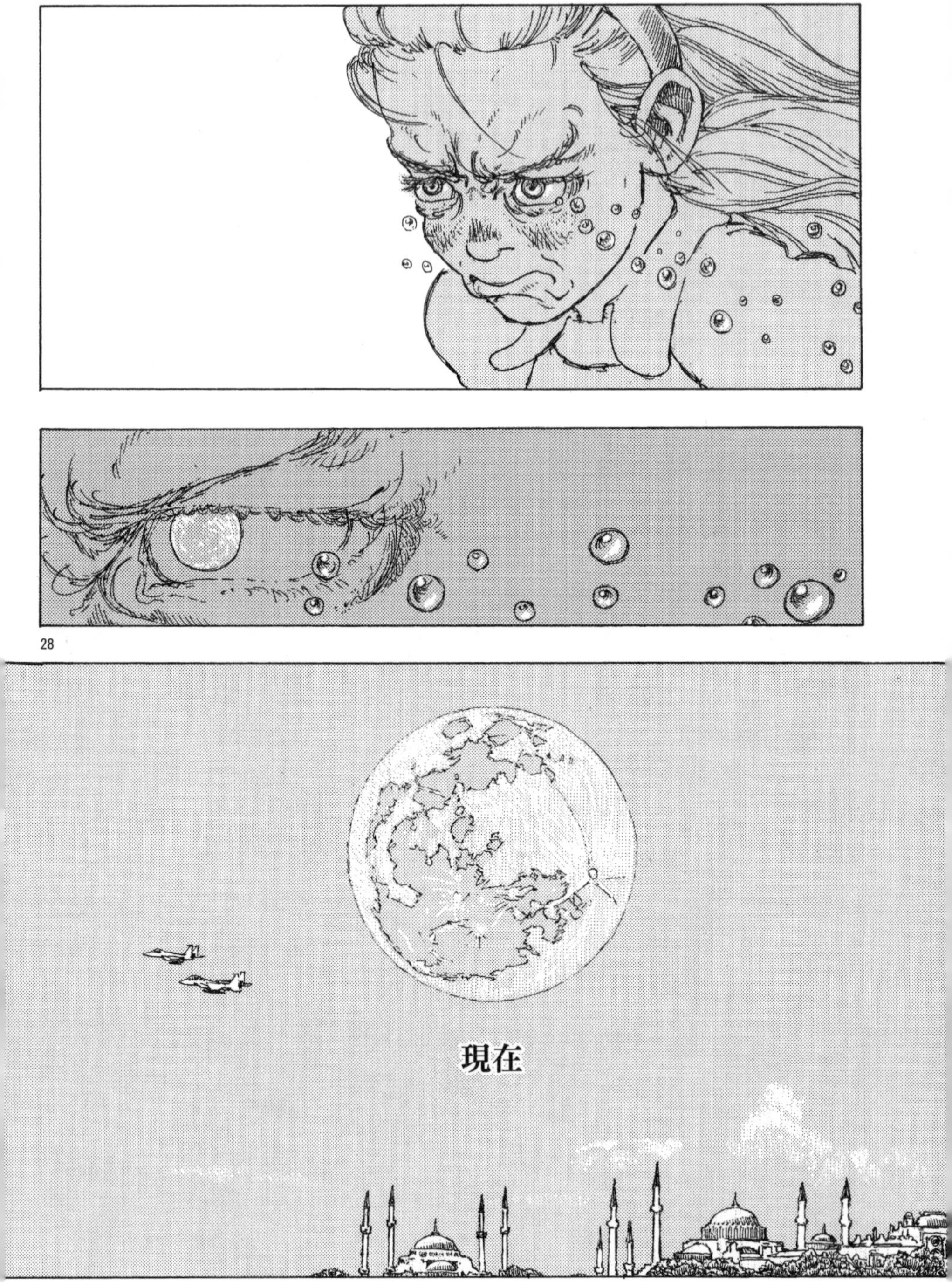
現在

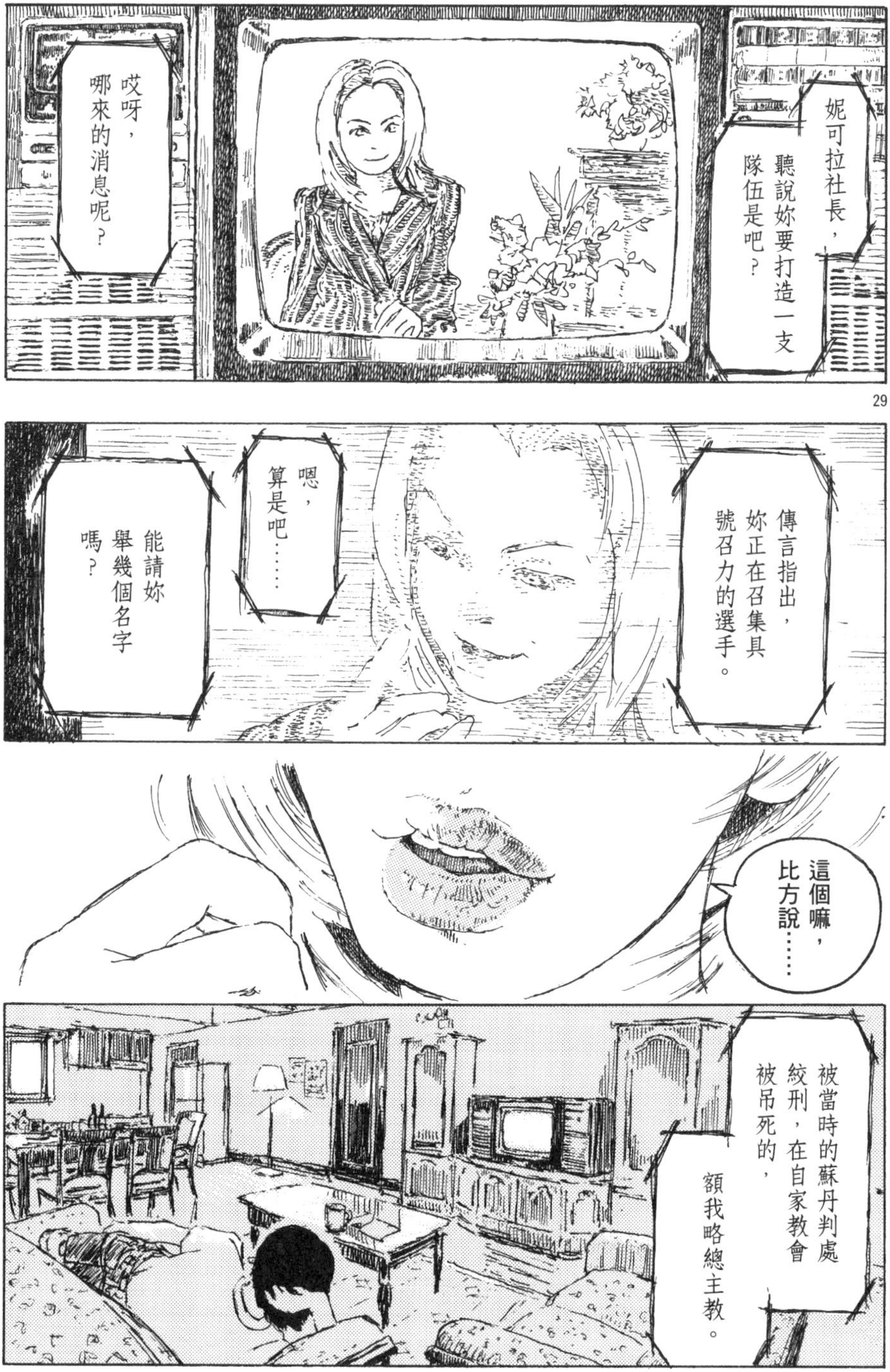
妮可拉社長，聽說妳要打造一支隊伍是吧？
哎呀，哪來的消息呢？
29
傳言指出，妳正在召集具號召力的選手。
嗯，算是吧……
能請妳舉幾個名字嗎？
這個嘛，比方說……
被當時的蘇丹判處絞刑，在自家教會被吊死的，額我略總主教。

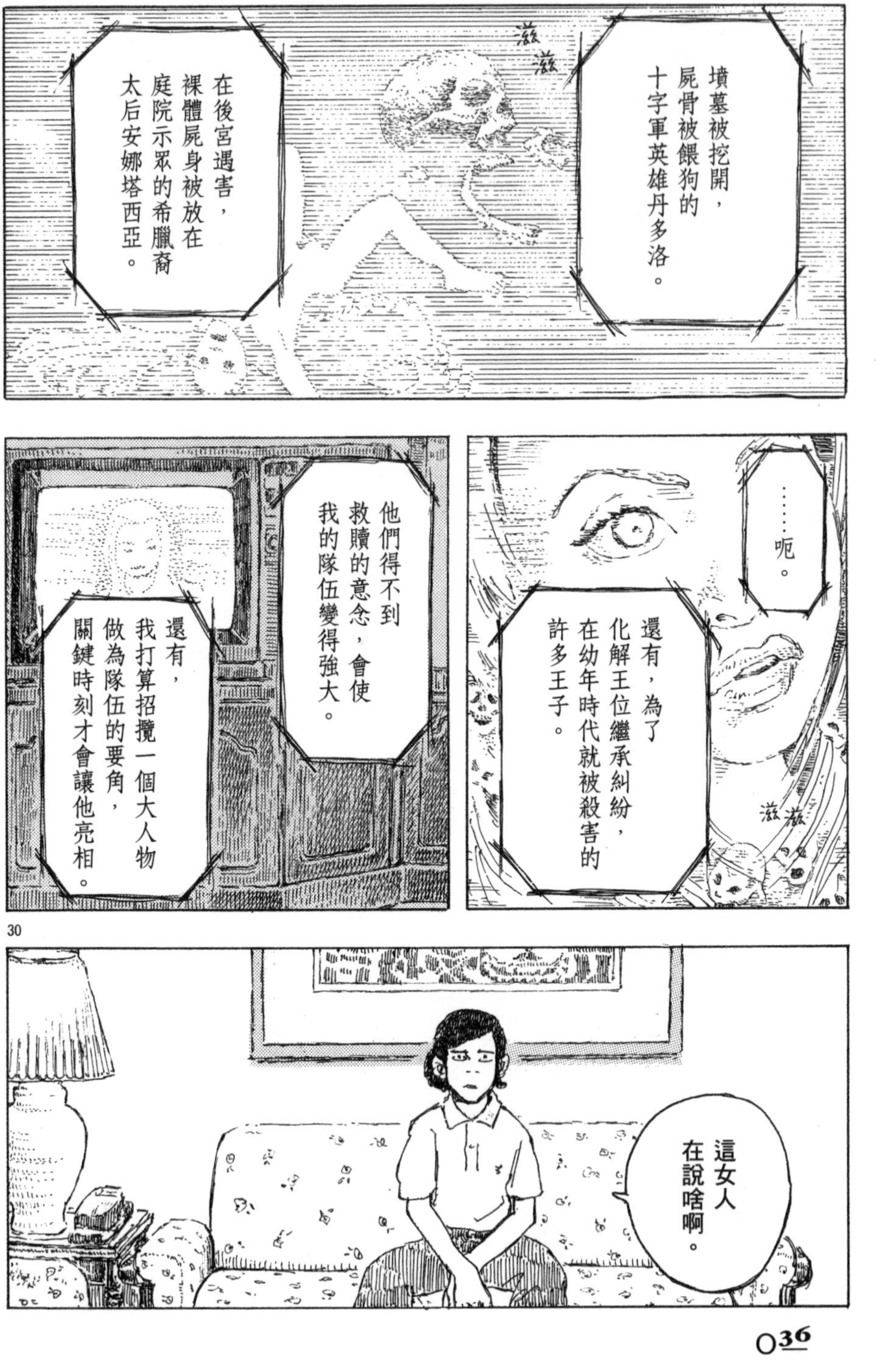
墳墓被挖開，
屍骨被餵狗的
十字軍英雄丹多洛。
滋滋
在後宮遇害，
裸體屍身被放在
庭院示眾的希臘裔
太后安娜塔西亞。
……呃。
還有，為了
化解王位繼承糾紛，
在幼年時代就被殺害的
許多王子。
滋滋
他們得不到
救贖的意念，會使
我的隊伍變得強大。
還有，
我打算招攬一個大人物
做為隊伍的要角，
關鍵時刻才會讓他亮相。
這女人
在說啥啊。

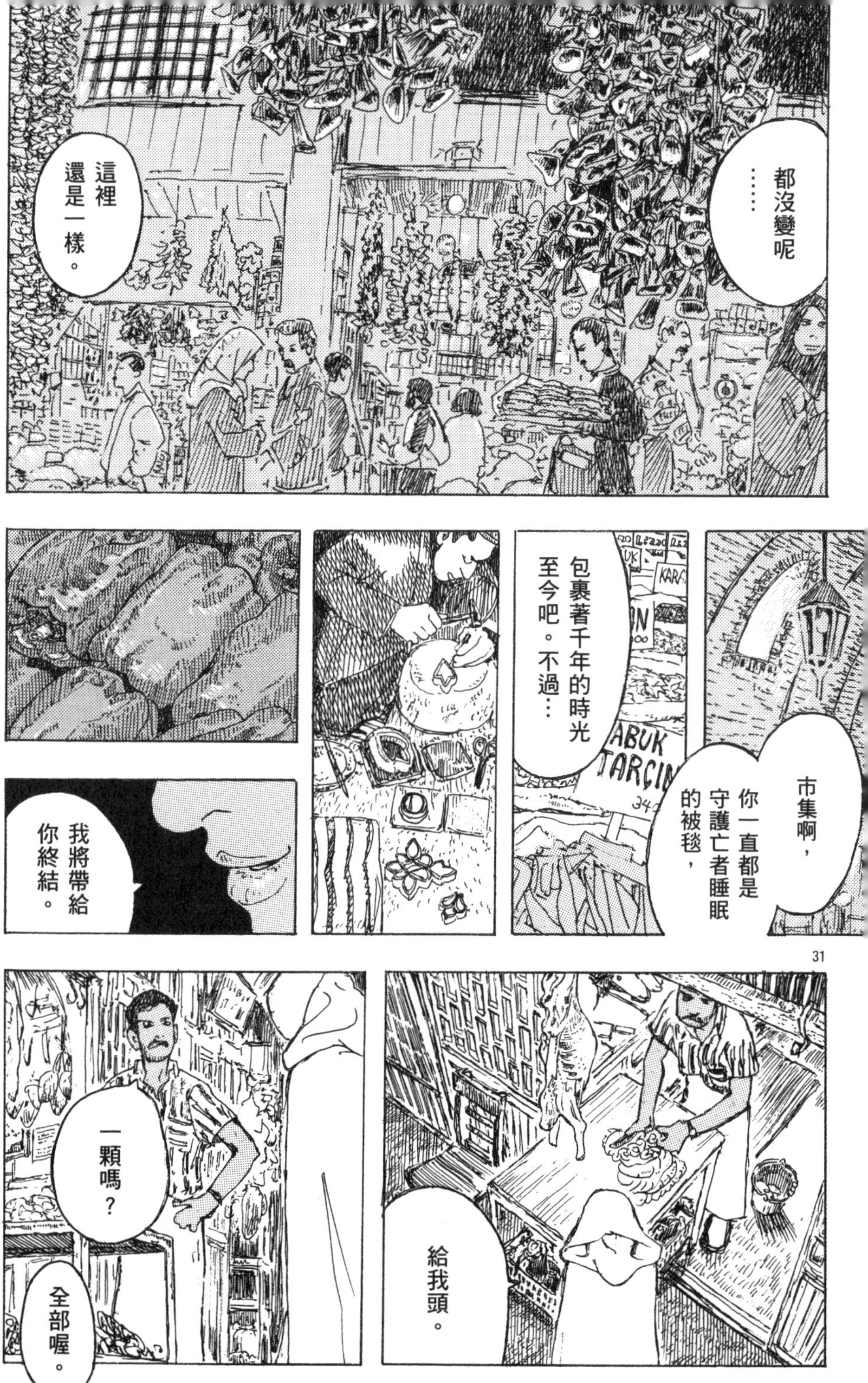

都沒變呢……
這裡還是一樣。
市集啊，你一直都是守護亡者睡眠的被毯，
包裹著千年的時光至今吧。不過…
ABUK TARÇIN
我將帶給你終結。
給我頭。
一顆嗎？
全部喔。

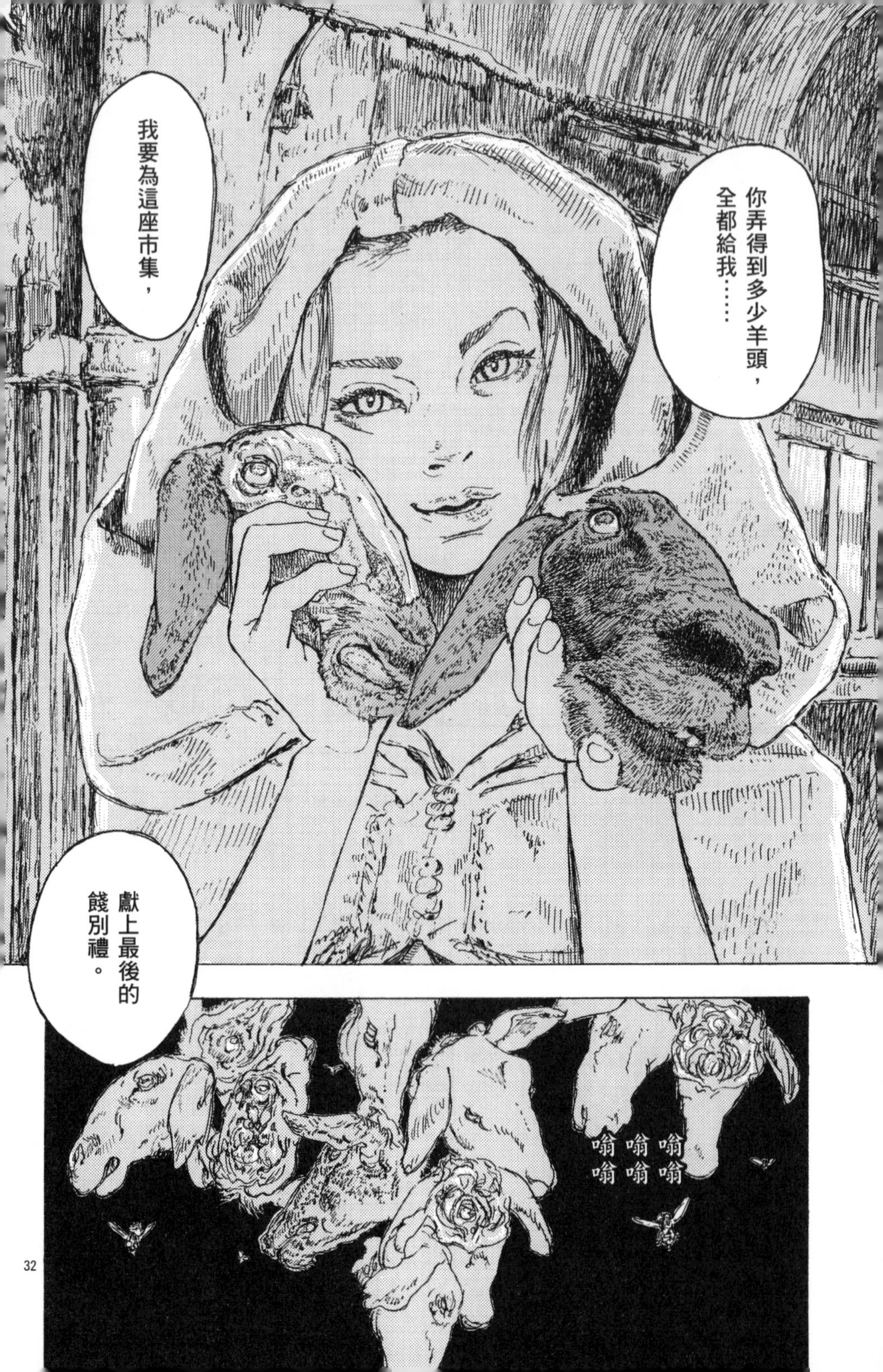
你弄得到多少羊頭，全都給我……
我要為這座市集，
獻上最後的餞別禮。
嗡嗡
嗡嗡
嗡嗡

我乃妮可拉·法辛霍之僕役。
那女人鬼扯說市集很骯髒。
說要為了孩子們打造乾淨的超級市場。
她要搞垮市集！
……我的語言，乃法辛霍之語言。

34

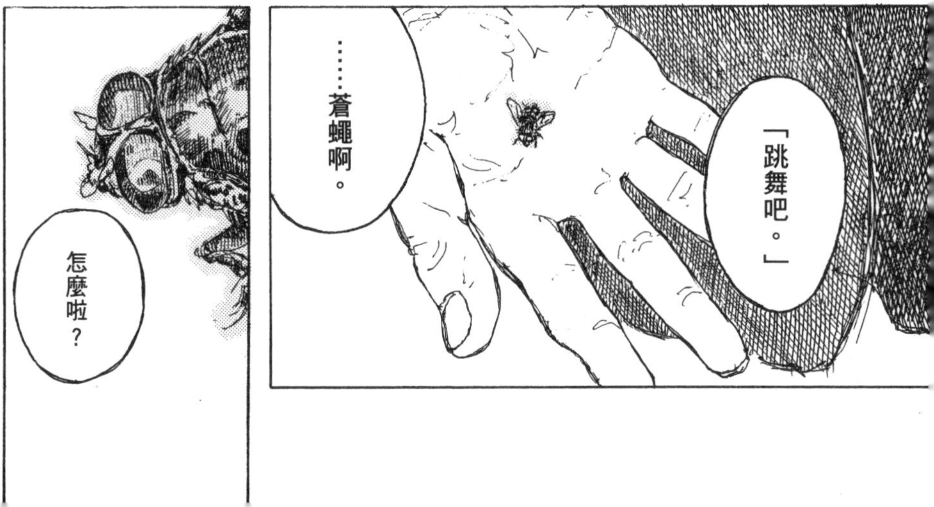
「跳舞吧。」
……蒼蠅啊。
怎麼啦？

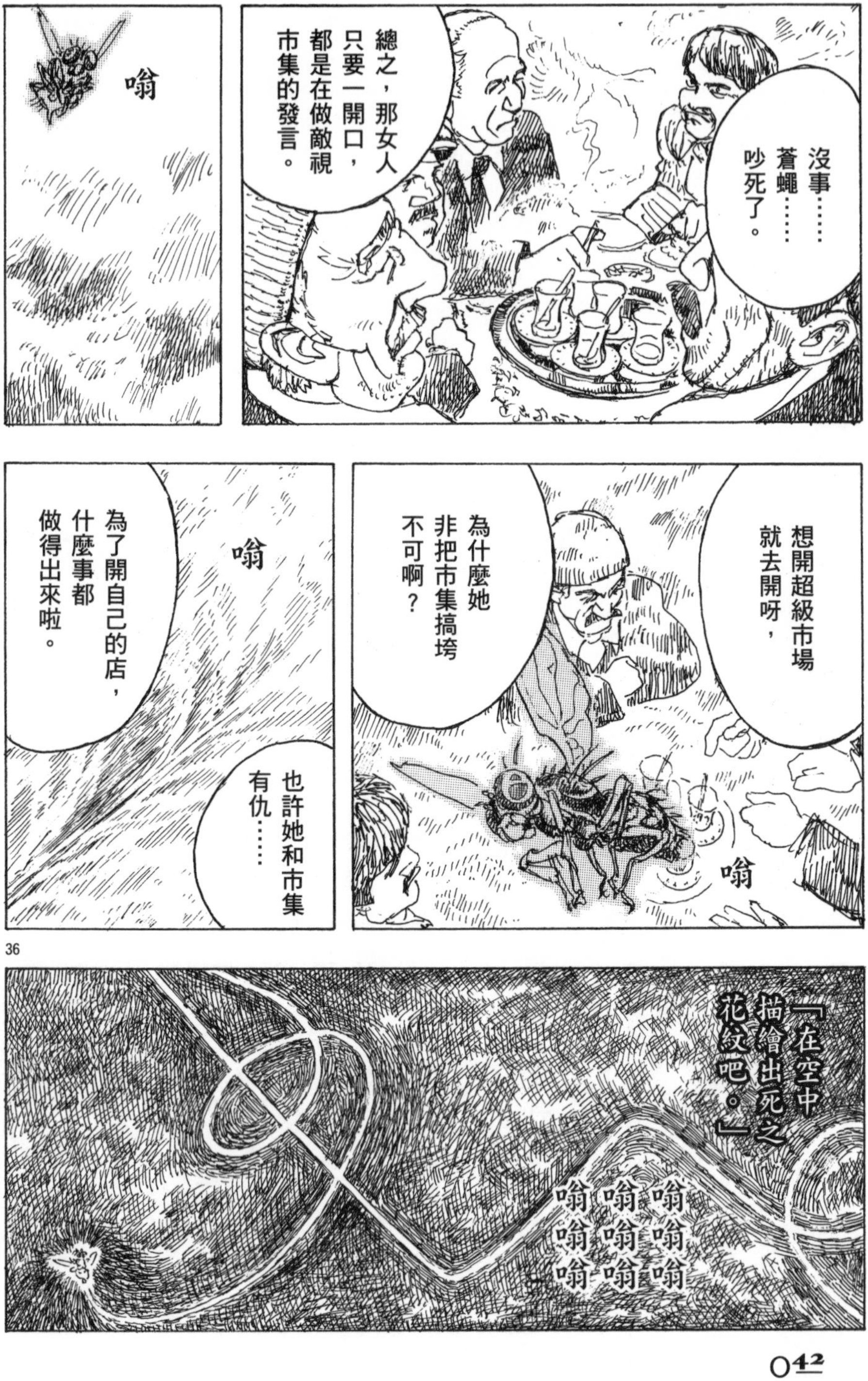
沒事……蒼蠅……吵死了。
總之，那女人只要一開口，都是在做敵視市集的發言。
嗡
想開超級市場就去開呀，
為什麼她非把市集搞垮不可啊？
嗡
嗡
為了開自己的店，什麼事都做得出來啦。
也許她和市集有仇……
「在空中描繪出死之花紋吧。」
嗡嗡嗡
嗡嗡嗡
嗡嗡嗡

37

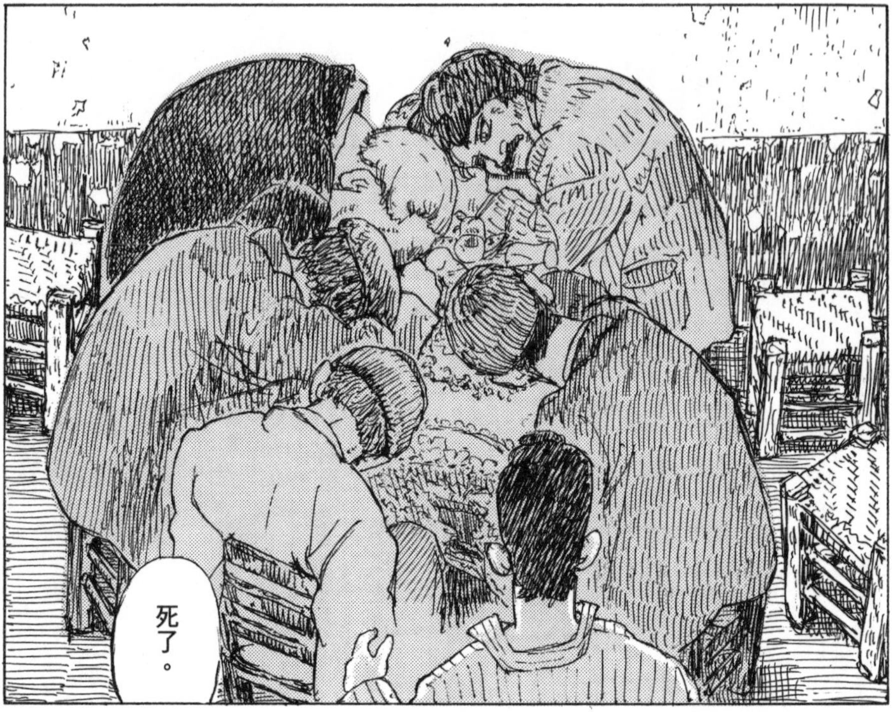
死了。

萬寶路!!

39

不行啦！那是遊戲耶。
爺爺超小氣的啊。
哈賽姬！
凱克。
嘻嘻嘻，又來啦。真是不死心呢。
哈賽姬，妳放學啦？
看也知道吧。
40
欸，那件事，妳考慮得怎麼樣？
我想要妳和我……呃……
「結婚」對吧？
妳們別亂說啦！
可是他……嘻嘻嘻。

欸，考慮得怎樣？
還在說啊，凱克……
！
不然……這樣吧，
如果你能弄到我想要的東西……
我就可以考慮答應……
真的嗎！
妳想要的東西是什麼？
是什麼東西啊？
SONY的……
不，不對……
……我想要魔法喔。
我想要的是，
動個念頭就可以變出任何東西的魔法力量。
如果你變成魔法師的話，
要我考慮跟你結婚也行吧……
嘻嘻嘻。
哈賽姬！
妳在這種地方做什麼啊！
米馬爾先生。
爺爺!!
41

別在這種地方鬼混。
不是的，我是在放學回家的路上啊。
結果凱克他……
哈賽姬！
不准狡……
米馬爾先生！
不得了了！
怎麼啦？
就在剛剛……
什麼，五個人？
哈賽姬，我要回市集，妳別繞到其他地方混囉。
03 IK 323

到底怎麼了啊…
嗡隆隆
我們也走吧。
嗯。
啊…
欸，小弟弟。
!
……
魔法……
啊，是，要萬寶路嗎？
小弟弟……
你有想要的東西對吧？

44

45

46

RTKAYA
OTO
CHRYSLER
DODGE DESOT
FORD
TRA
TAU
阿姨家該怎麼去呢……
請問……

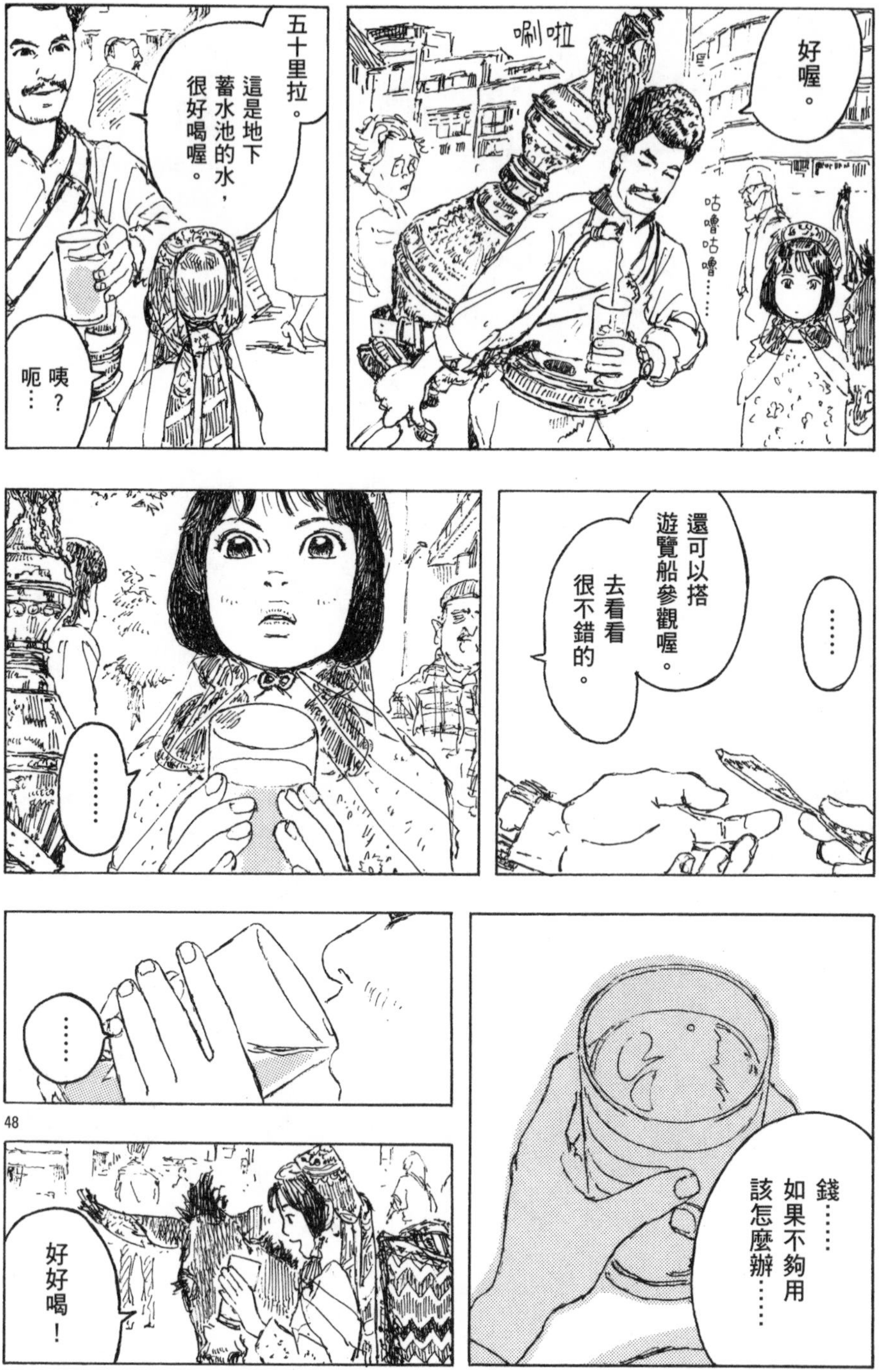
好喔。
唰啦
咕嚕咕嚕……
這是地下蓄水池的水，很好喝喔。
五十里拉。
咦？呃……
還可以搭遊覽船參觀喔。
去看看很不錯的。
……
……
……
錢……如果不夠用該怎麼辦……
好好喝！
48

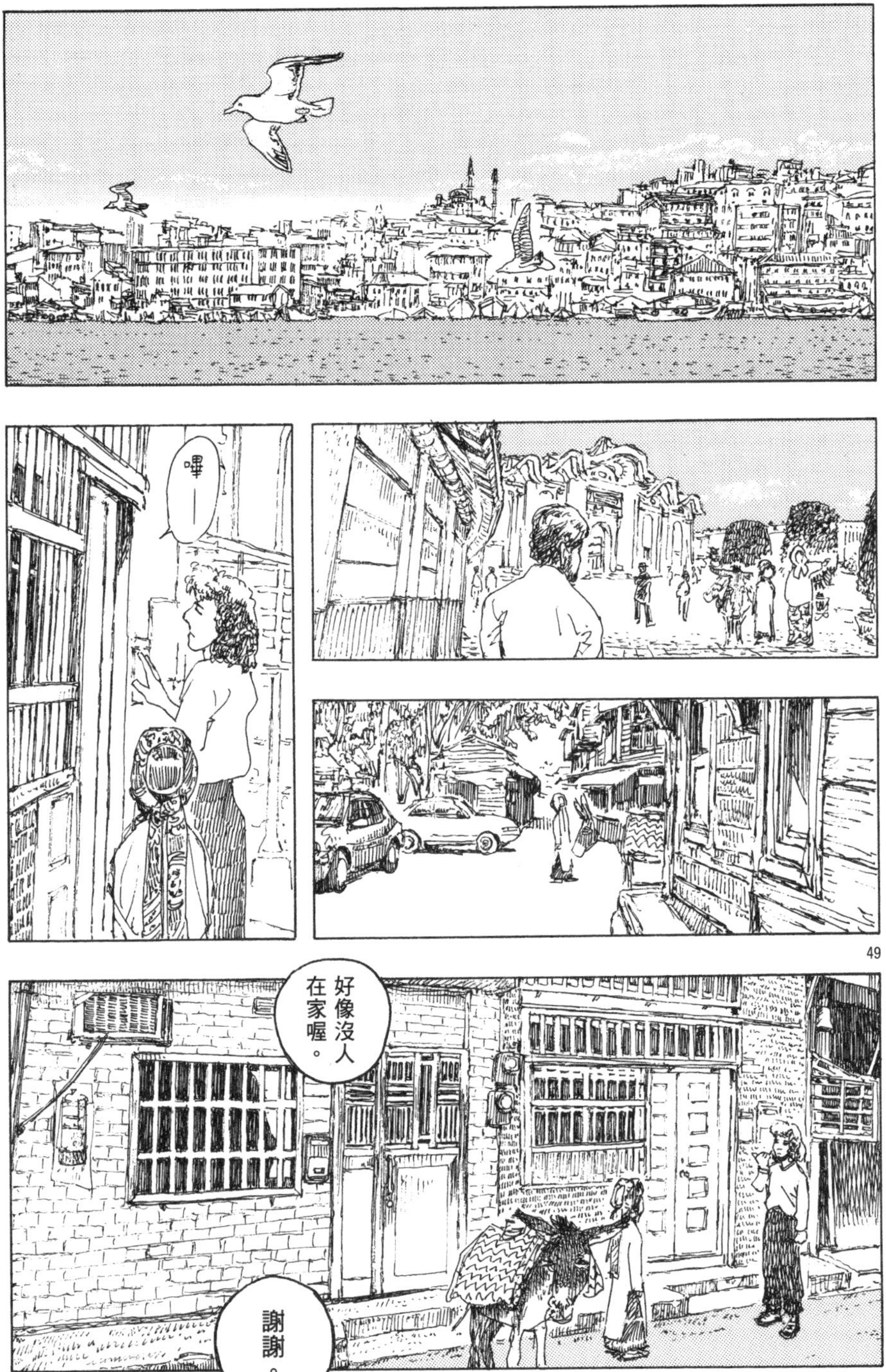
嗶——
49
好像沒人在家喔。
謝謝。

啪沙
嗡——
嗚～～
吼嗚
……
吼嚕
驚

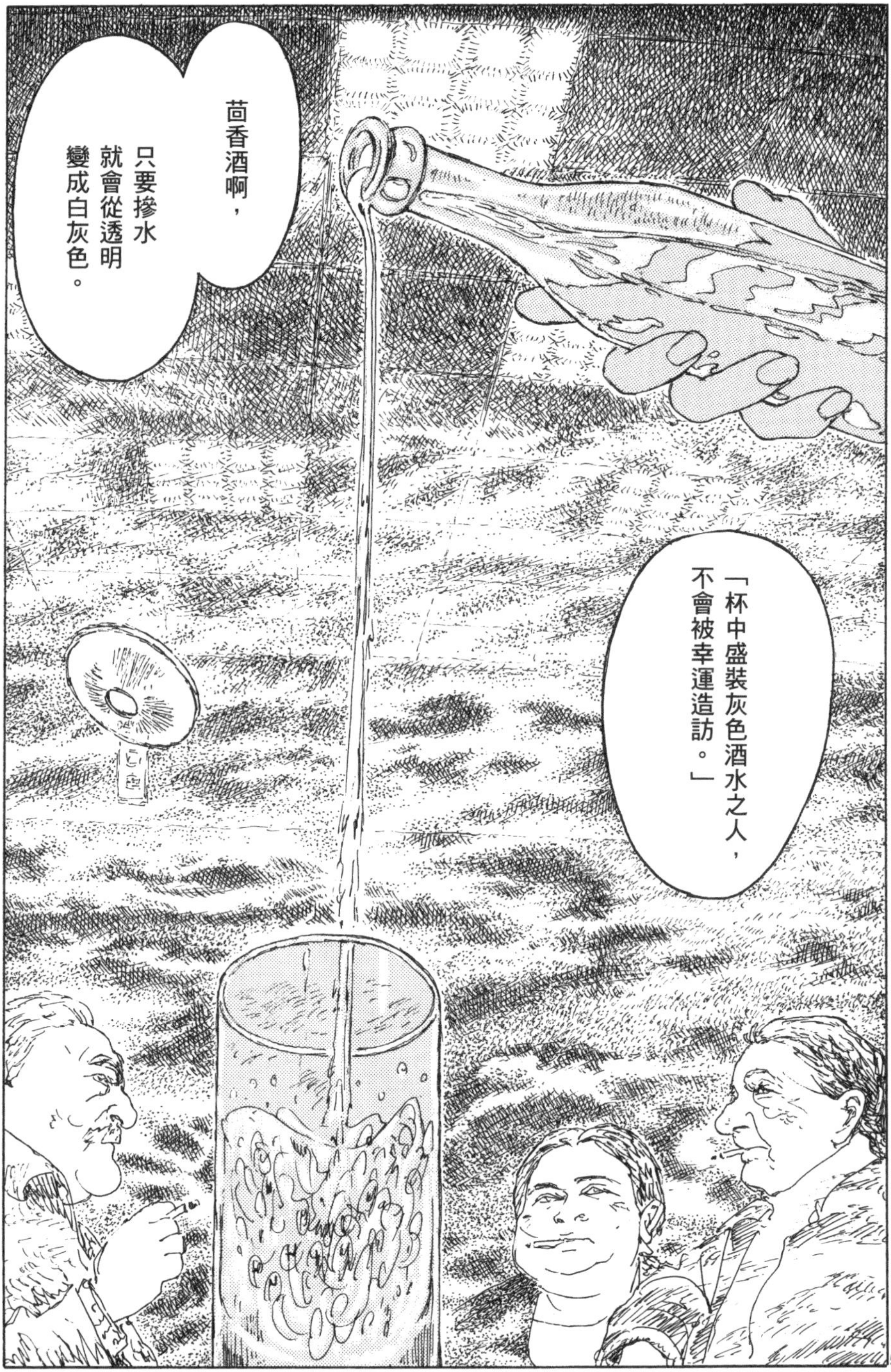

51

敬勝利。
不管怎麼說，烤羊頭就該吃這家店烤的呢。
52
聽說市集的顧問死了好幾個。

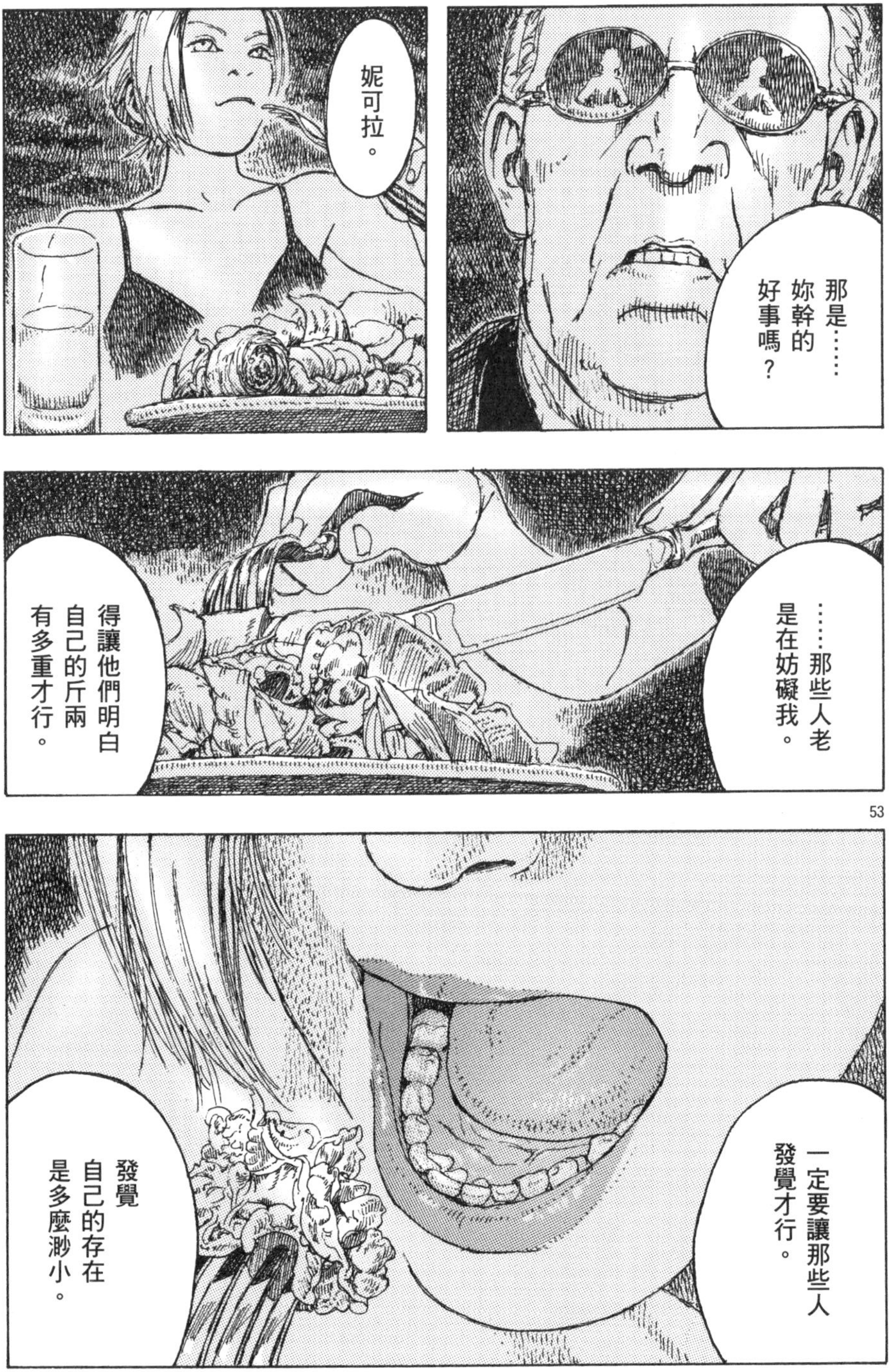
那是……妳幹的好事嗎？
妮可拉。
……那些人老是在妨礙我。
得讓他們明白自己的斤兩有多重才行。
一定要讓那些人發覺才行。
發覺自己的存在是多麼渺小。

是妳……
指使的嗎？
真好吃！
喏，你也趁熱吃吧。
這眼珠、舌頭、腦漿，味道都棒極了。
敬料理人的廚藝。
敬犧牲的羊。
然後，
敬呼喚幸運的酒。

235
凱克。
呵呵……
唷，哈賽姬。

呵呵呵呵。
我好開心呀。
哈賽姬也很開心吧？
…你在說啥啊？
魔•法•啊。
我變成魔法師了。
所以請跟我…
你說什麼蠢話啊。
我還有急事，先走囉。
等等！
咦？

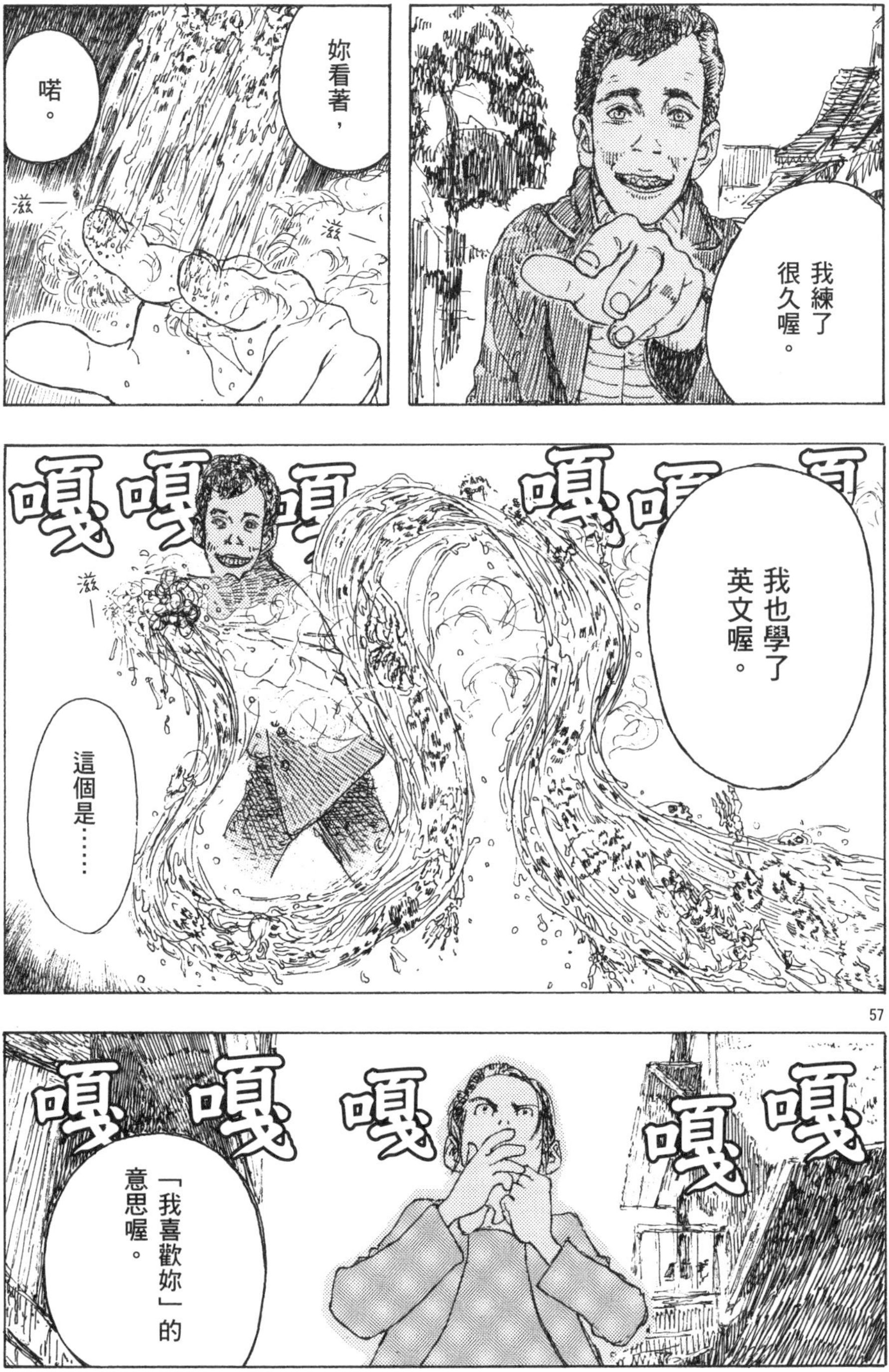
我練了很久喔。
妳看著，
諾。
滋——
滋——
我也學了英文喔。
嘎嘎嘎
嘎嘎嘎
滋——
這個是……
「我喜歡妳」的意思喔。
嘎嘎嘎嘎

57

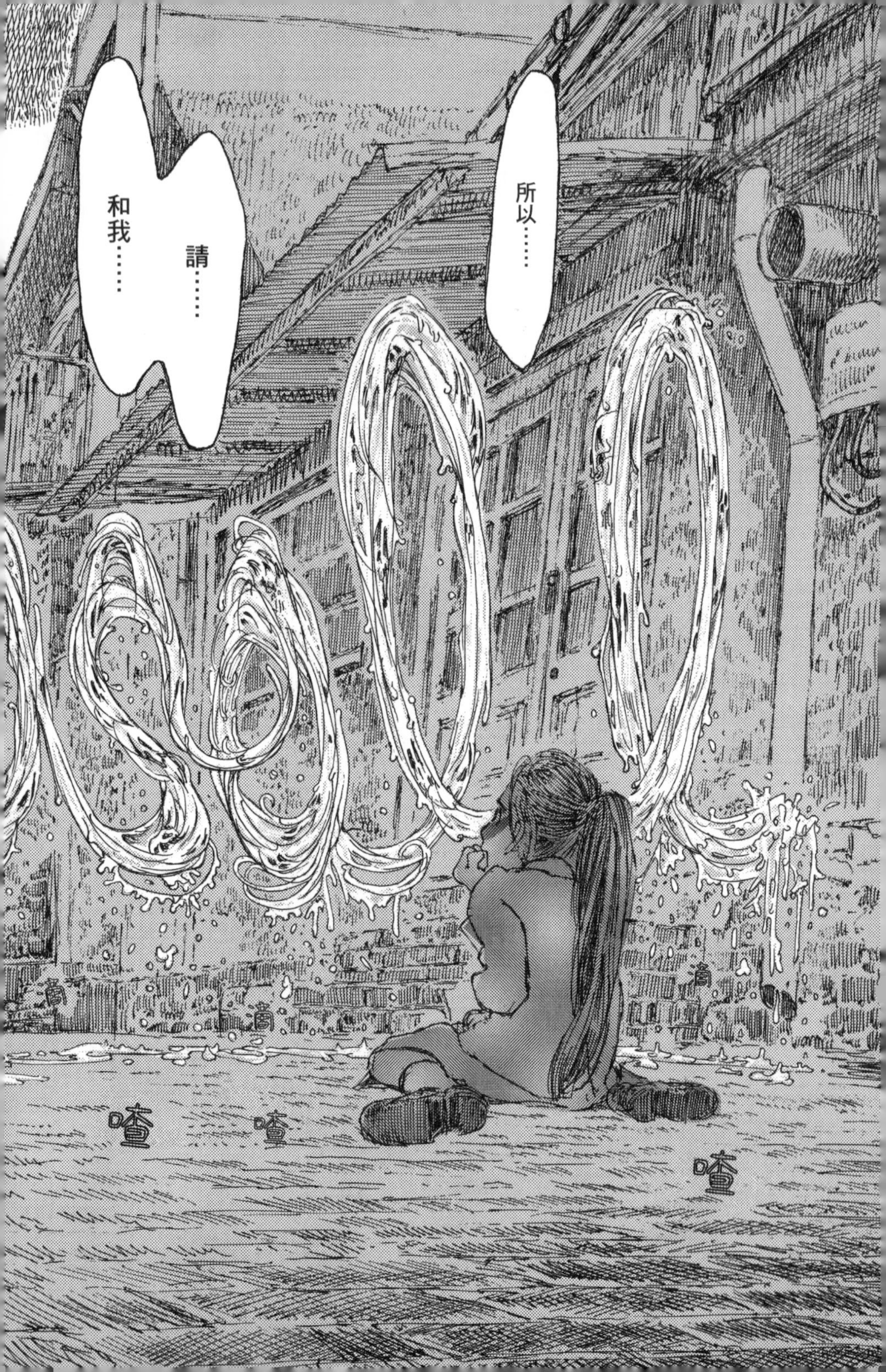
所以……
請……
和我……
喳
喳
喳

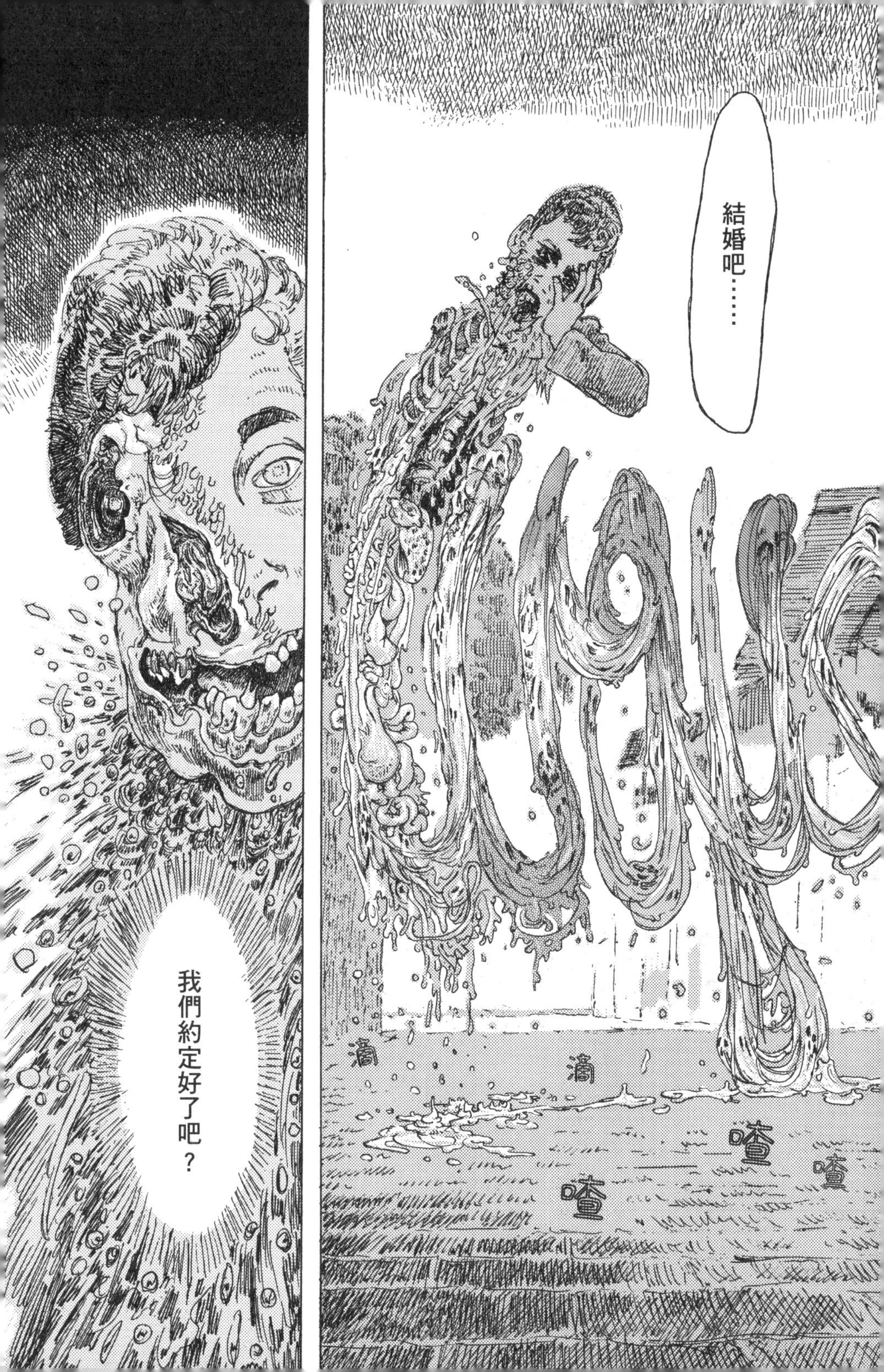
結婚吧……
滴
滴
喳
喳
喳
我們約定好了吧？

60

SPINDLE
紡錘 -後篇-

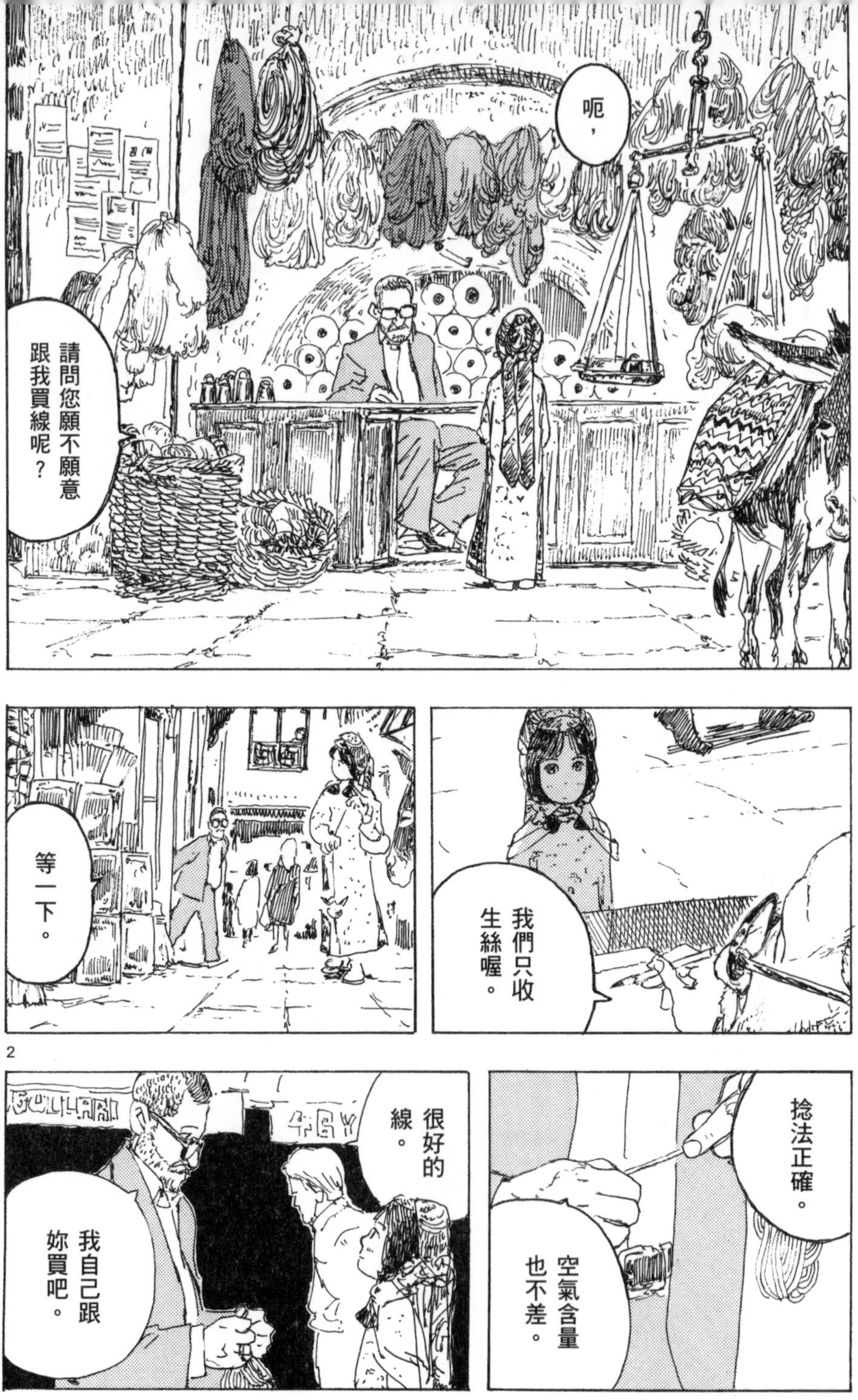
呃，
請問您願不願意跟我買線呢？
我們只收生絲喔。
等一下。
2
捻法正確。
空氣含量也不差。
很好的線。
我自己跟妳買吧。

這樣我就可以買水、食物，
還有「凝乳酶」了。
3
唷，妳來了啊……

妳還
記得我嗎？
當然囉。
「小女巫」。
妳當年要是
沒那樣叫我，
我也許就不會變成
現在這樣了呢……
我得為此
受罰啊，

罰我這個粗心
又大嘴巴的女人。
我在英國修習完
魔女之道後，
跨入了
更進一步的領域。
我發現了
《光輝之書》和
《抱朴子》等
文獻中隱藏的
「真正意圖」。
解讀了世上
所有事態的
力量根源。
我得到了
「世界的祕密」。
小女巫，
妳需要的是「映照
自身的鏡子」啊。
我已經不小了呀。
5

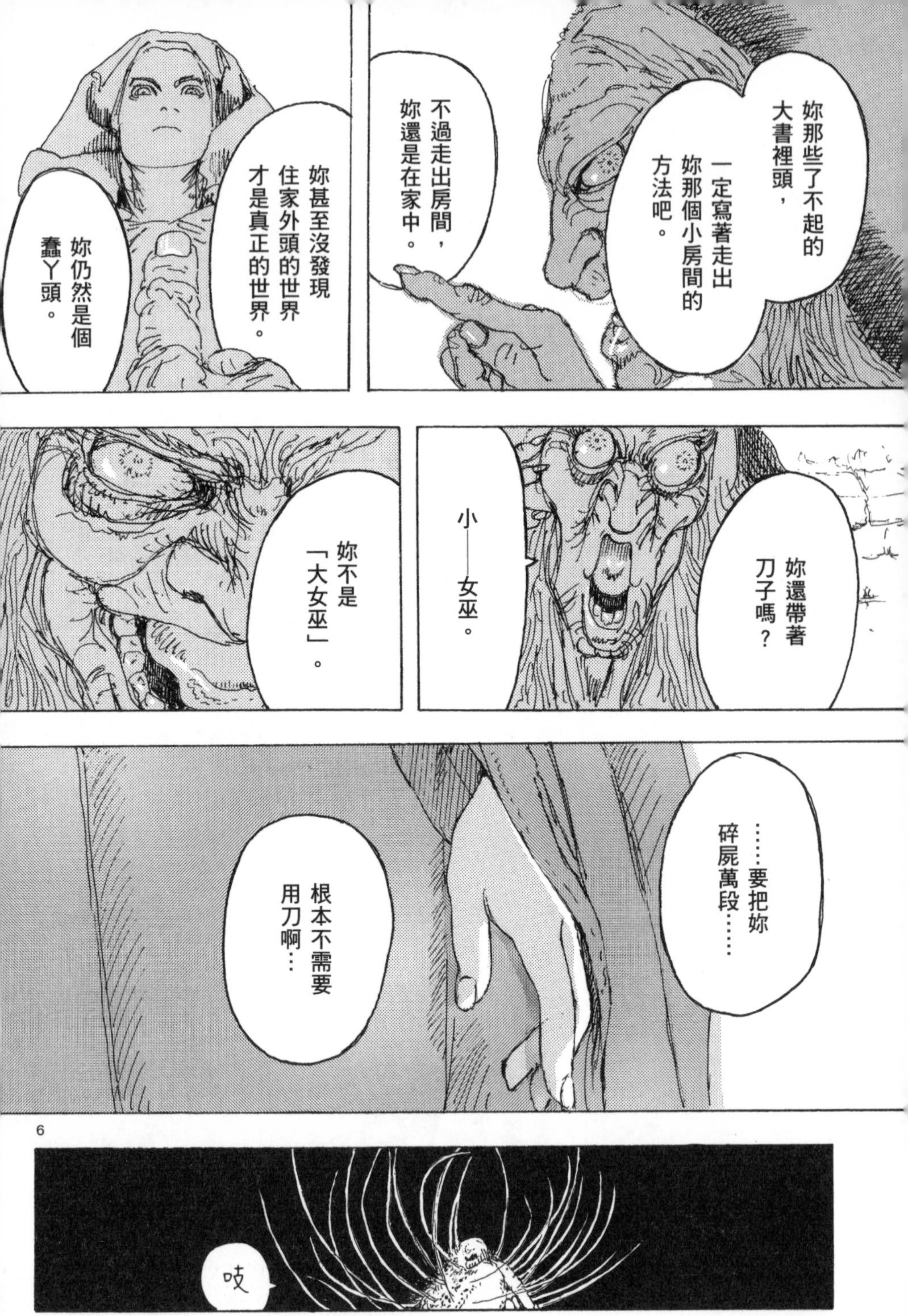
妳那些了不起的大書裡頭，一定寫著走出妳那個小房間的方法吧。
不過走出房間，妳還是在家中。
妳甚至沒發現住家外頭的世界才是真正的世界。
妳仍然是個蠢丫頭。
妳還帶著刀子嗎？
小──女巫。
妳不是「大女巫」。
……要把妳碎屍萬段……
根本不需要用刀啊…
吱

6

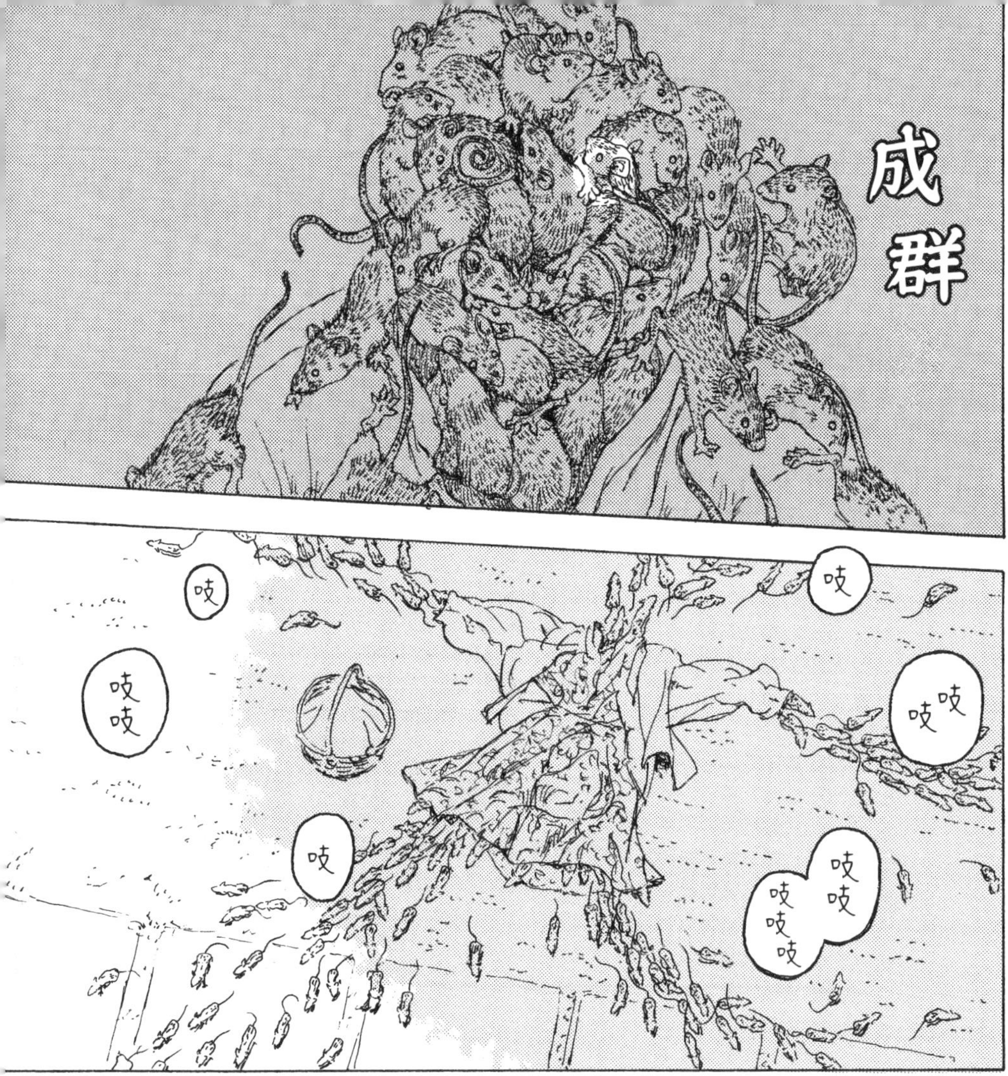
成群
吱
吱吱
吱吱吱吱吱
吱
吱吱
吱

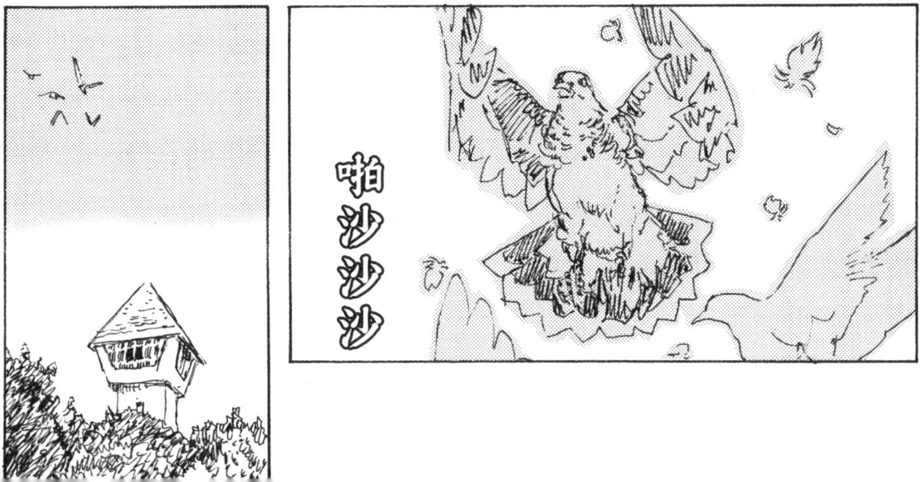
啪沙沙沙

喂。
兩杯。
糖呢？
各兩顆。
感謝惠顧。
三杯。
二十年沒見了吧。
8

9

10

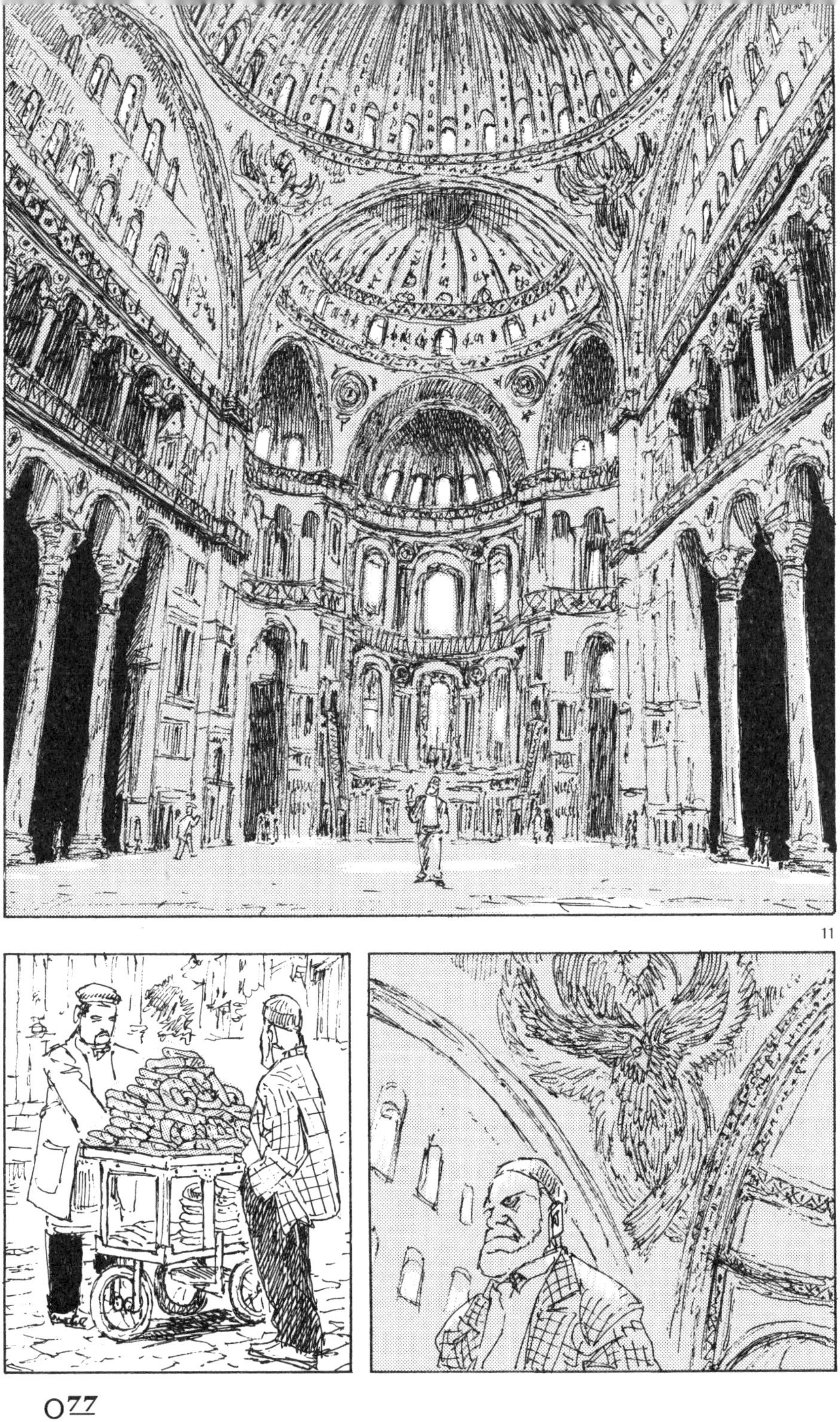

11

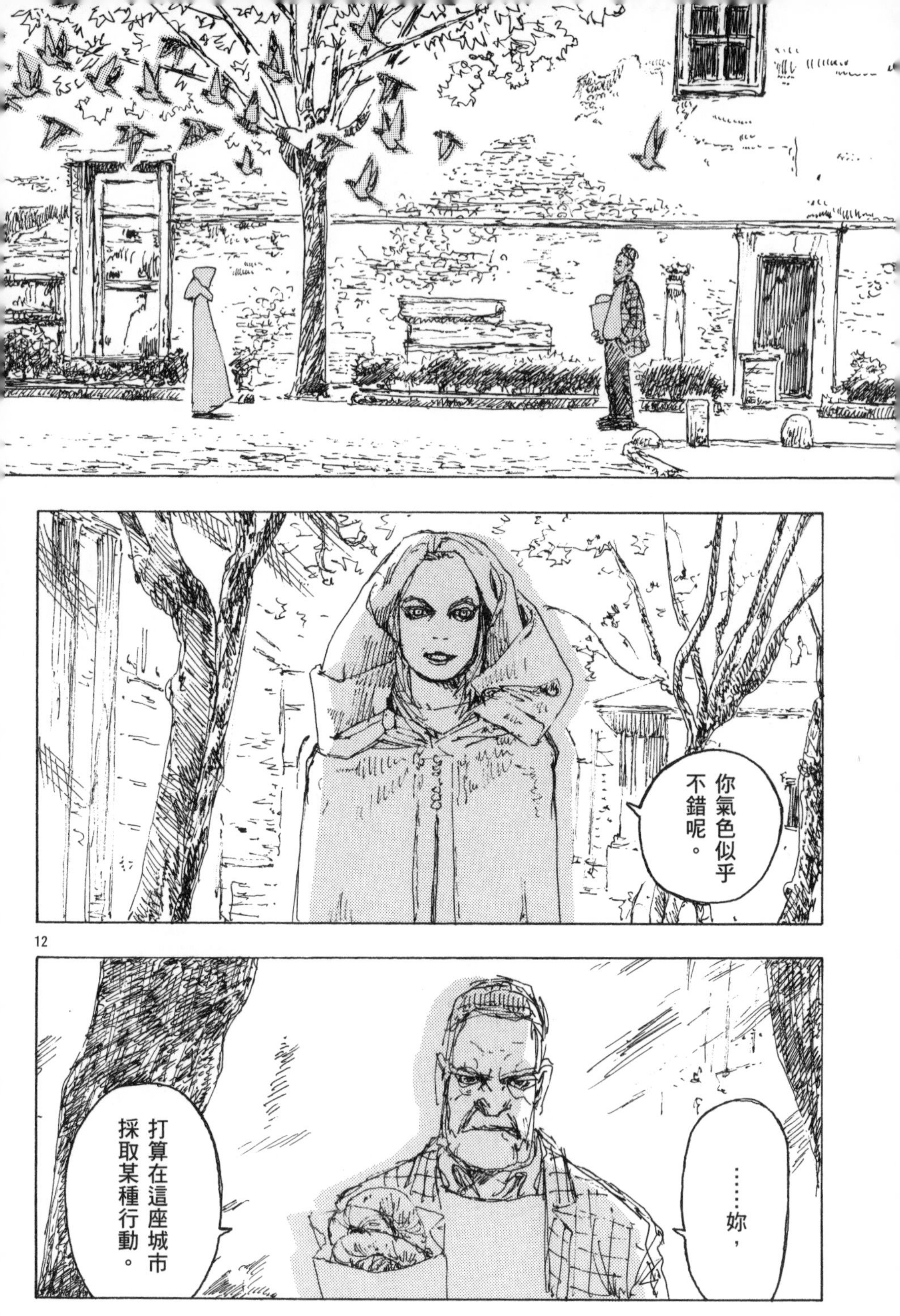
你氣色似乎不錯呢。
12
……妳，
打算在這座城市採取某種行動。

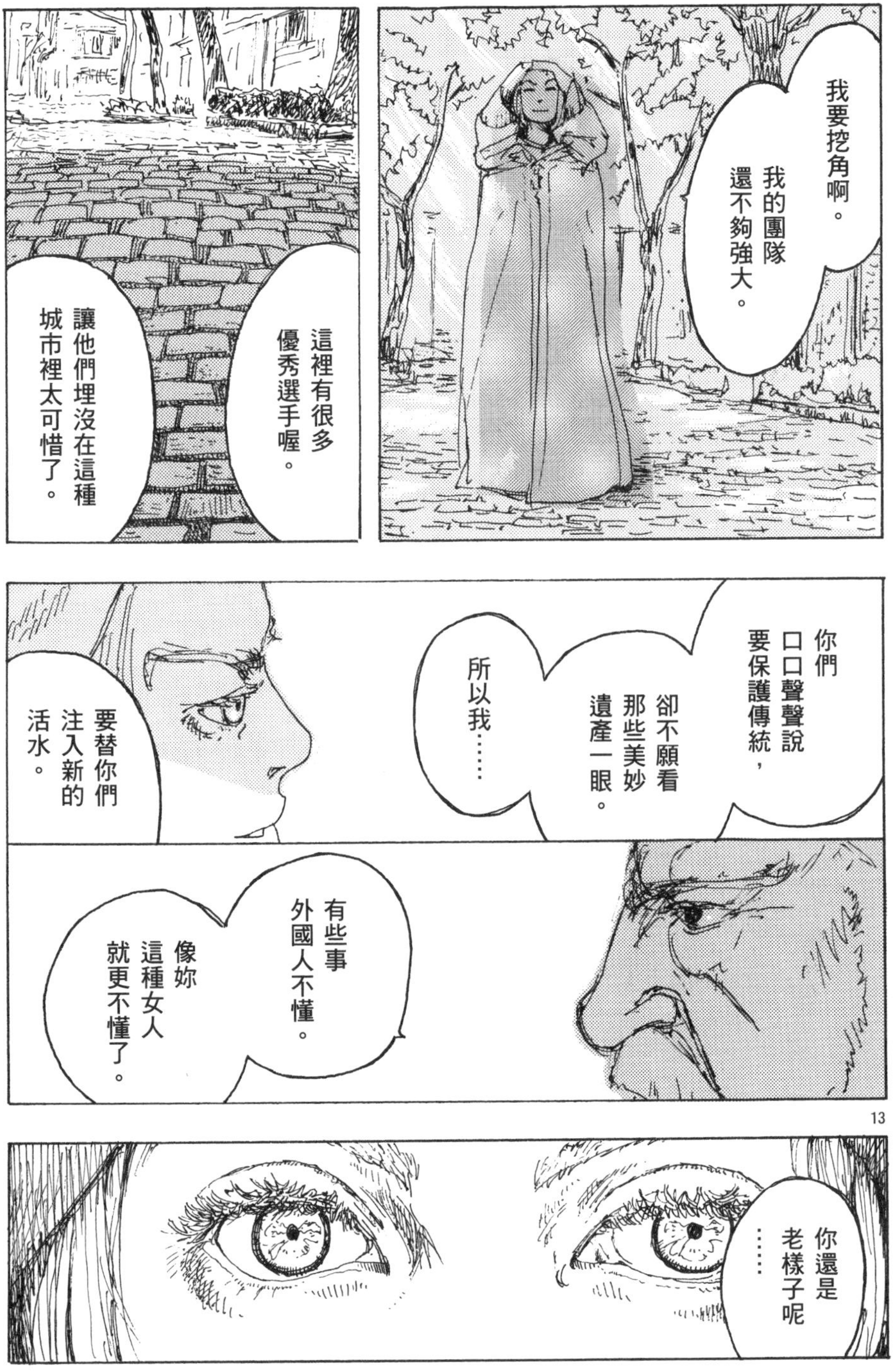
我要挖角啊。
我的團隊還不夠強大。
這裡有很多優秀選手喔。
讓他們埋沒在這種城市裡太可惜了。
你們口口聲聲說要保護傳統，
卻不願看那些美妙遺產一眼。
所以我……
要替你們注入新的活水。
有些事外國人不懂。
像妳這種女人就更不懂了。
你還是老樣子呢……
13

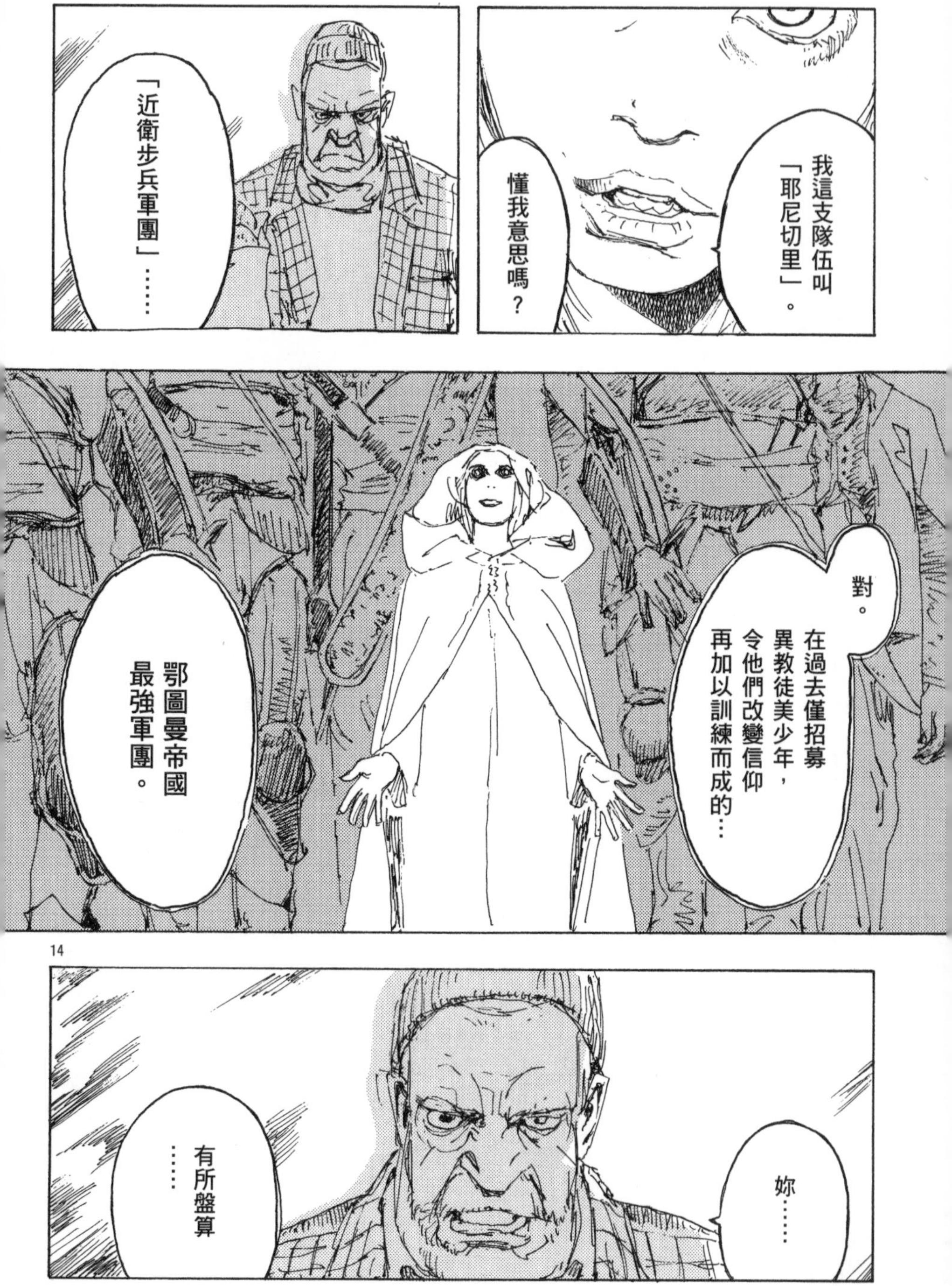
我這支隊伍叫「耶尼切里」。
懂我意思嗎？
「近衛步兵軍團」……
對。
在過去僅招募異教徒美少年，令他們改變信仰再加以訓練而成的……
鄂圖曼帝國最強軍團。
14
妳……
有所盤算……

對了對了，你的孫女叫什麼去了……
……哈賽姬？
……妳這傢伙。
哎呀，我沒動她唷。她說她想在我家玩，我就暫時收留她了。只是這樣而已啊。
不要緊的……我會負責送她回去。
只是我現在有點忙……這樣吧。
沙沙——

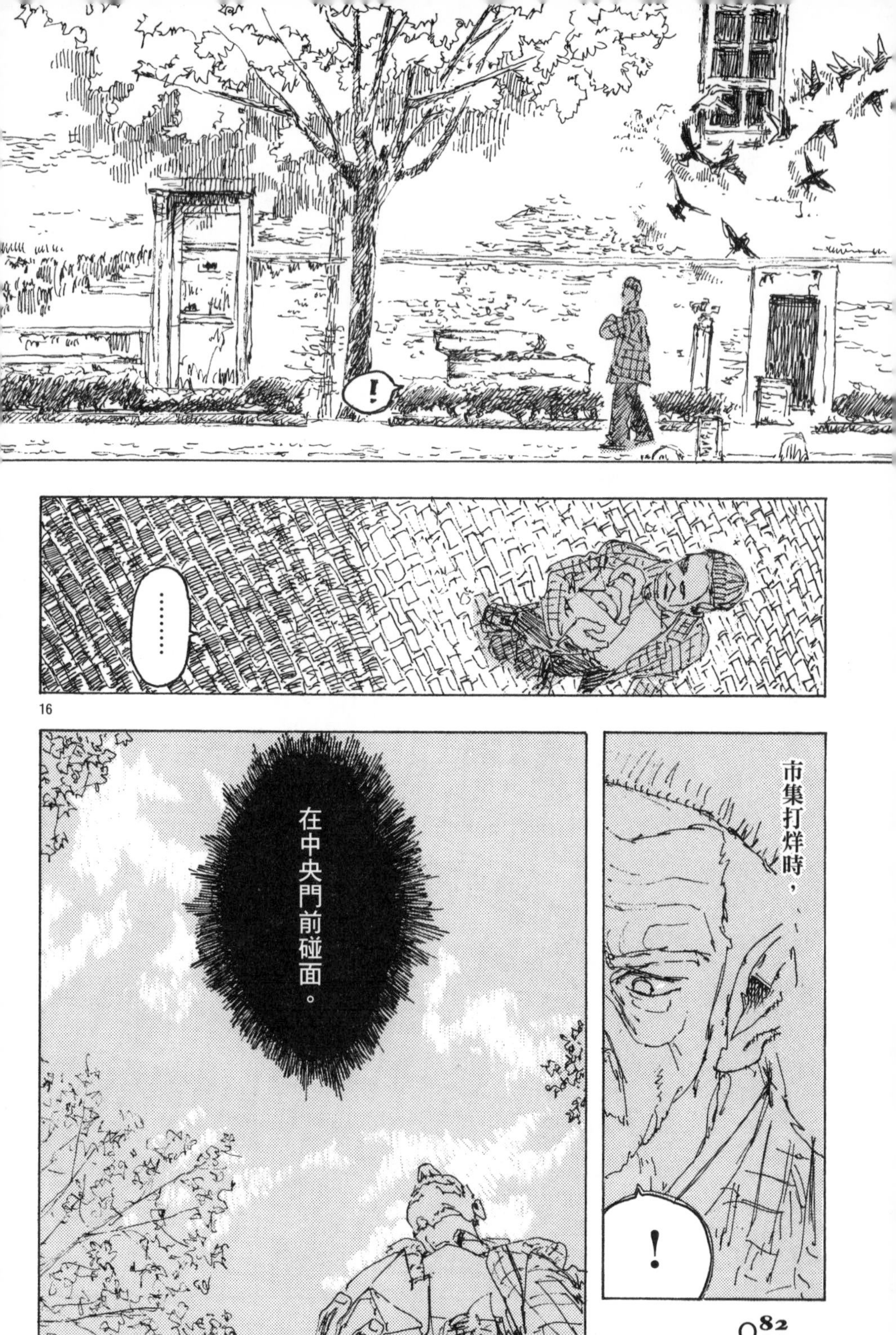
!
……
16
市集打烊時，
!
在中央門前碰面。

17

18

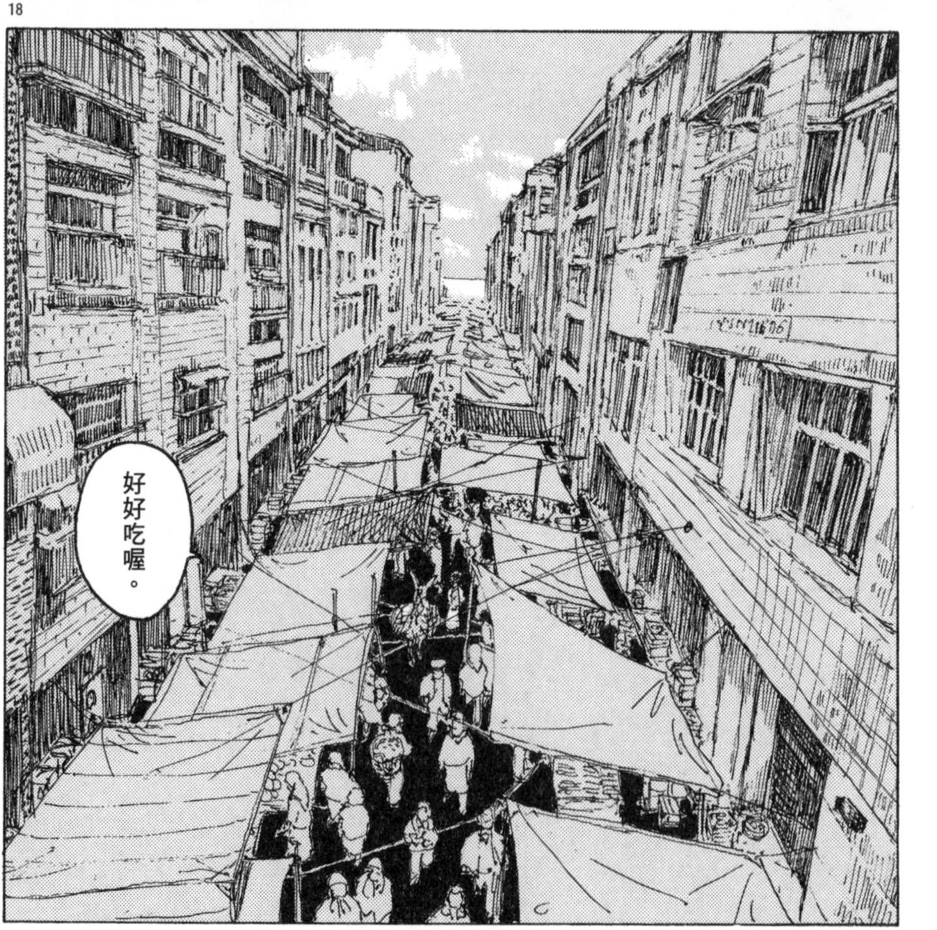

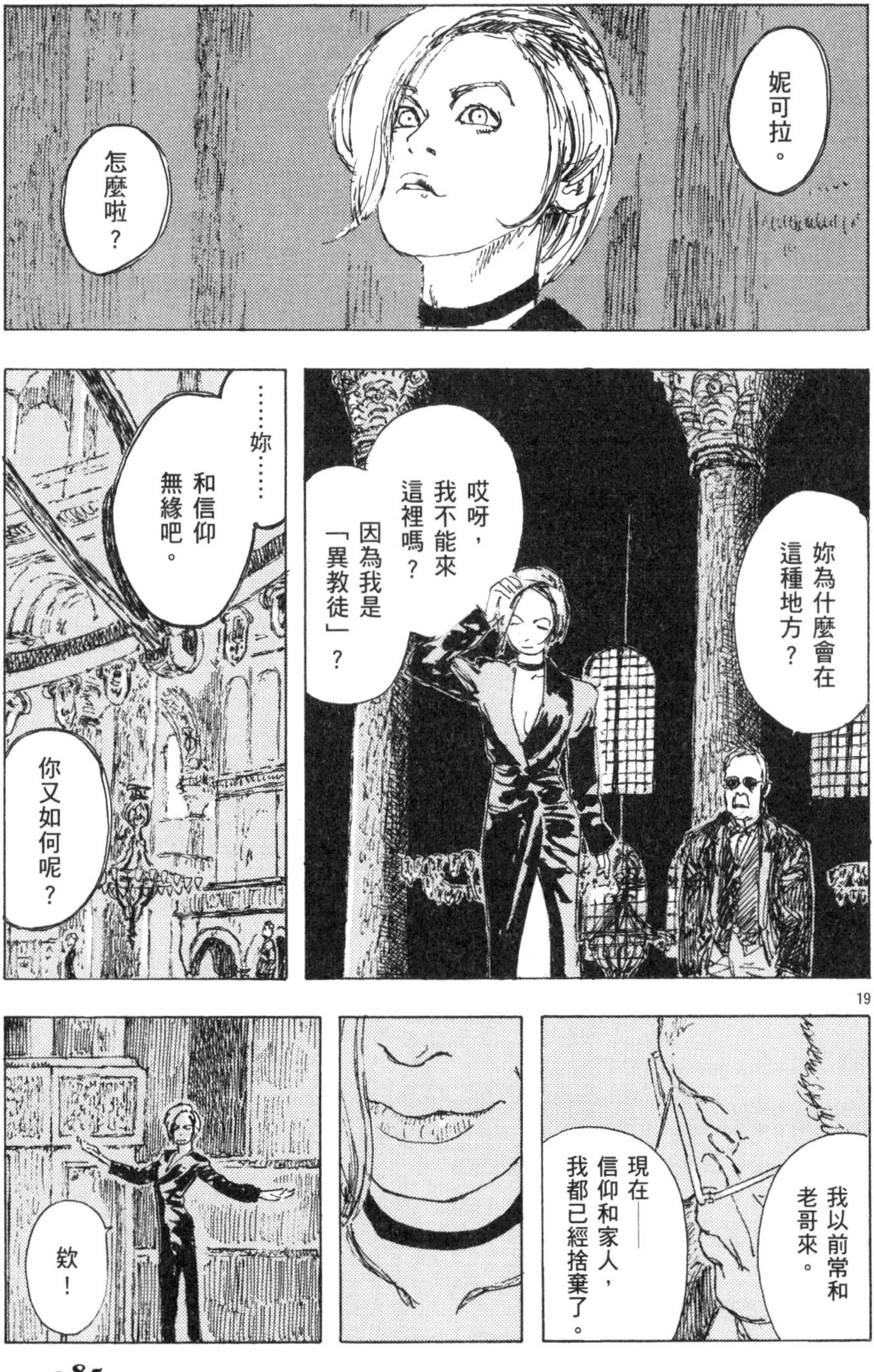
妮可拉。
怎麼啦？
妳為什麼會在這種地方？
哎呀，我不能來這裡嗎？因為我是「異教徒」？
……妳……
和信仰無緣吧。
你又如何呢？
我以前常和老哥來。
現在──信仰和家人，我都已經捨棄了。
欸！

你知道那裡畫的……是什麼嗎？

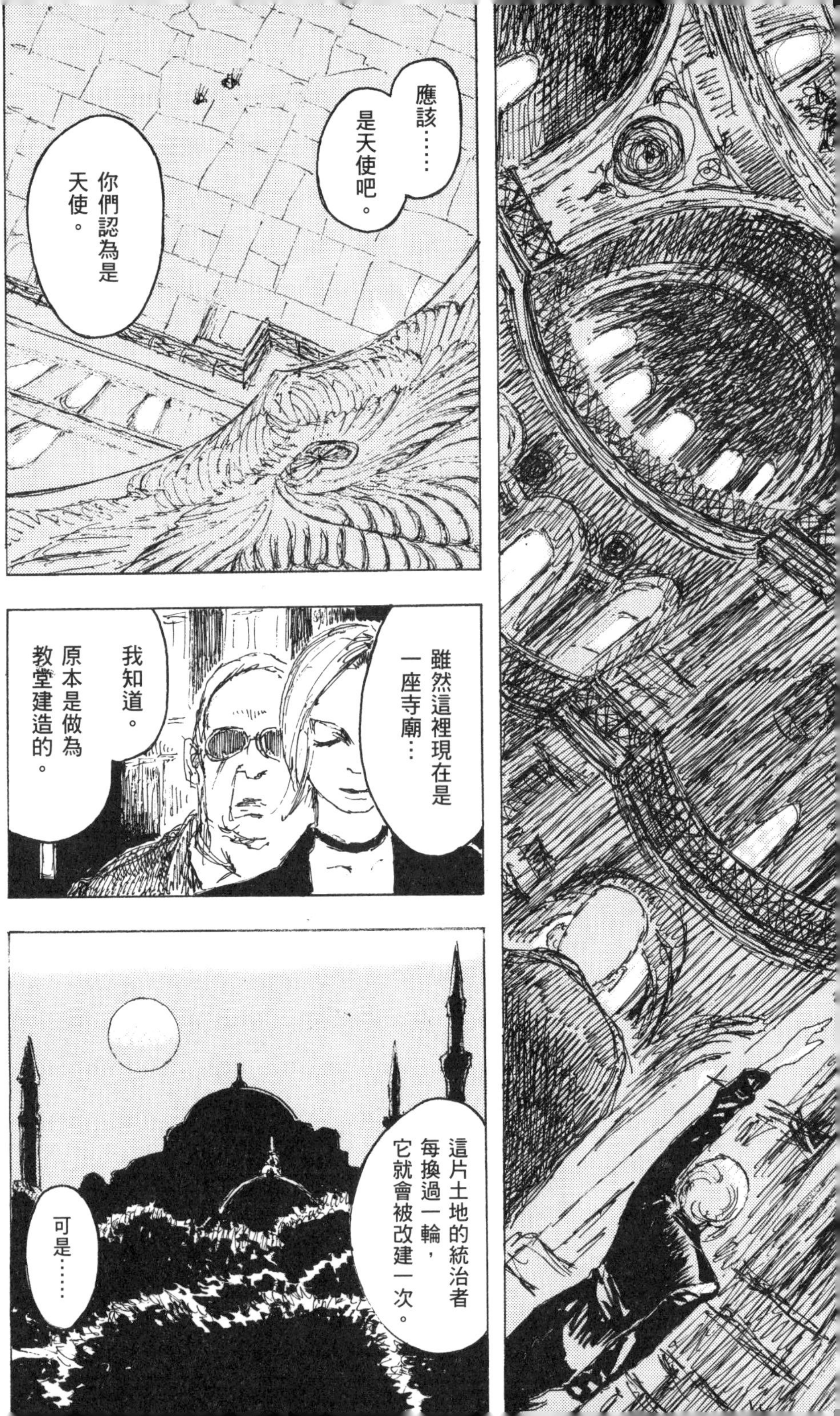
應該……是天使吧。
你們認為是天使。
雖然這裡現在是一座寺廟…
我知道。
原本是做為教堂建造的。
這片土地的統治者每換過一輪，它就會被改建一次。
可是……

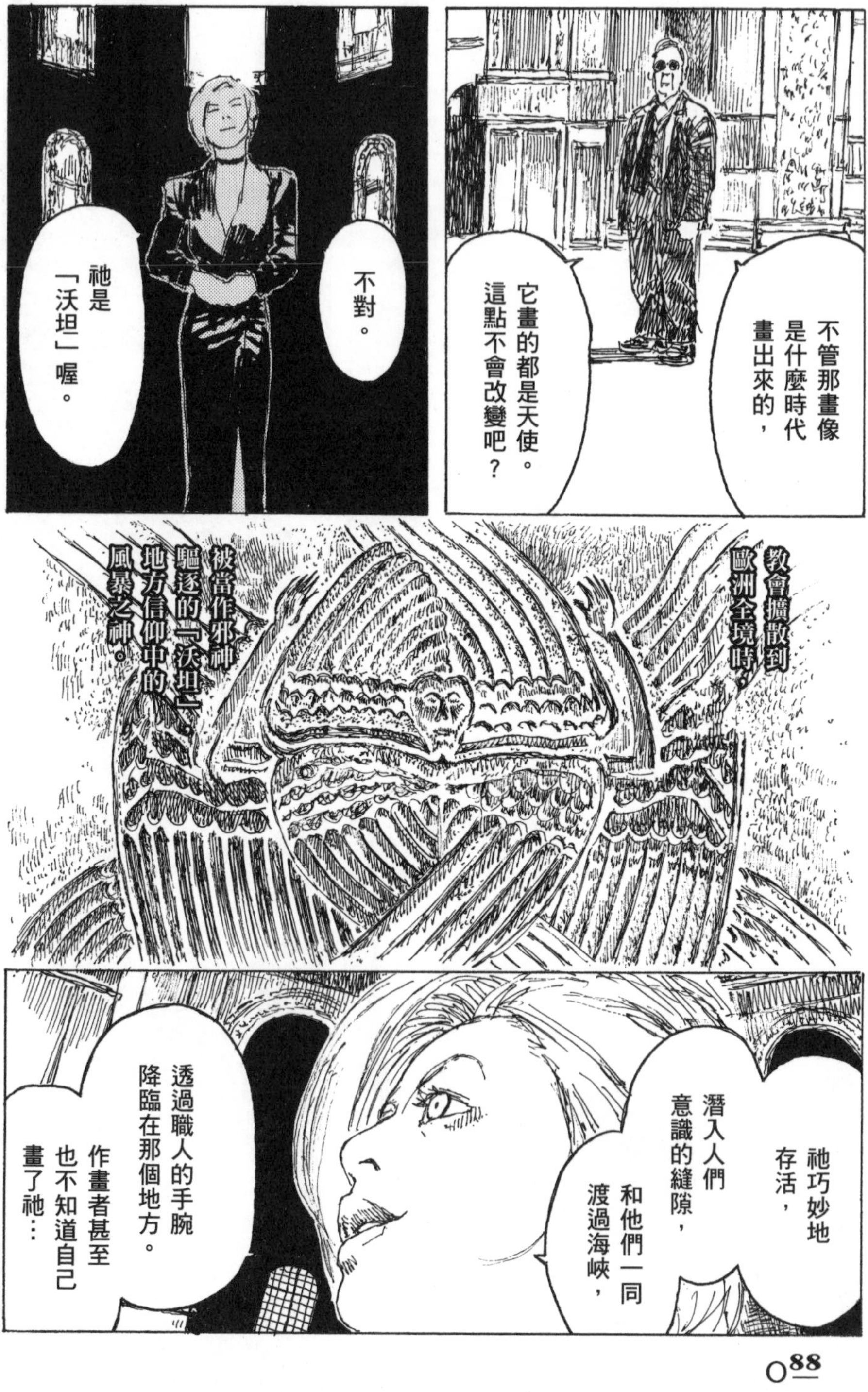

不管那畫像是什麼時代畫出來的，
它畫的都是天使。這點不會改變吧？
不對。
祂是「沃坦」喔。
教會擴散到歐洲全境時，
被當作邪神驅逐的「沃坦」地方信仰中的風暴之神。
祂巧妙地存活，
潛入人們意識的縫隙，
和他們一同渡過海峽，
透過職人的手腕降臨在那個地方。
作畫者甚至也不知道自己畫了祂……

22

不只是祂。
古老的精靈，
被遺忘的神祇。
那些遭凌虐者。
儘管祂們
都潛伏在陰影中，
改變了自身樣貌，
但性命還是維繫住了。
就像這座
建築物一樣。
我看得見祂們。
看得見那些潛伏者。
看得見被隱藏的
事物。
祕密……
你哥，
你們
碰面了吧？
米馬爾
怎麼說？

你……
把我的情報……
窸窣
不是的！
我……
為了妳，我打算殺掉我哥……
結果辦不到……
說什麼捨棄了家人，
到頭來還是愛米馬爾勝過我對吧。
我無法殺死老哥是因為……

24

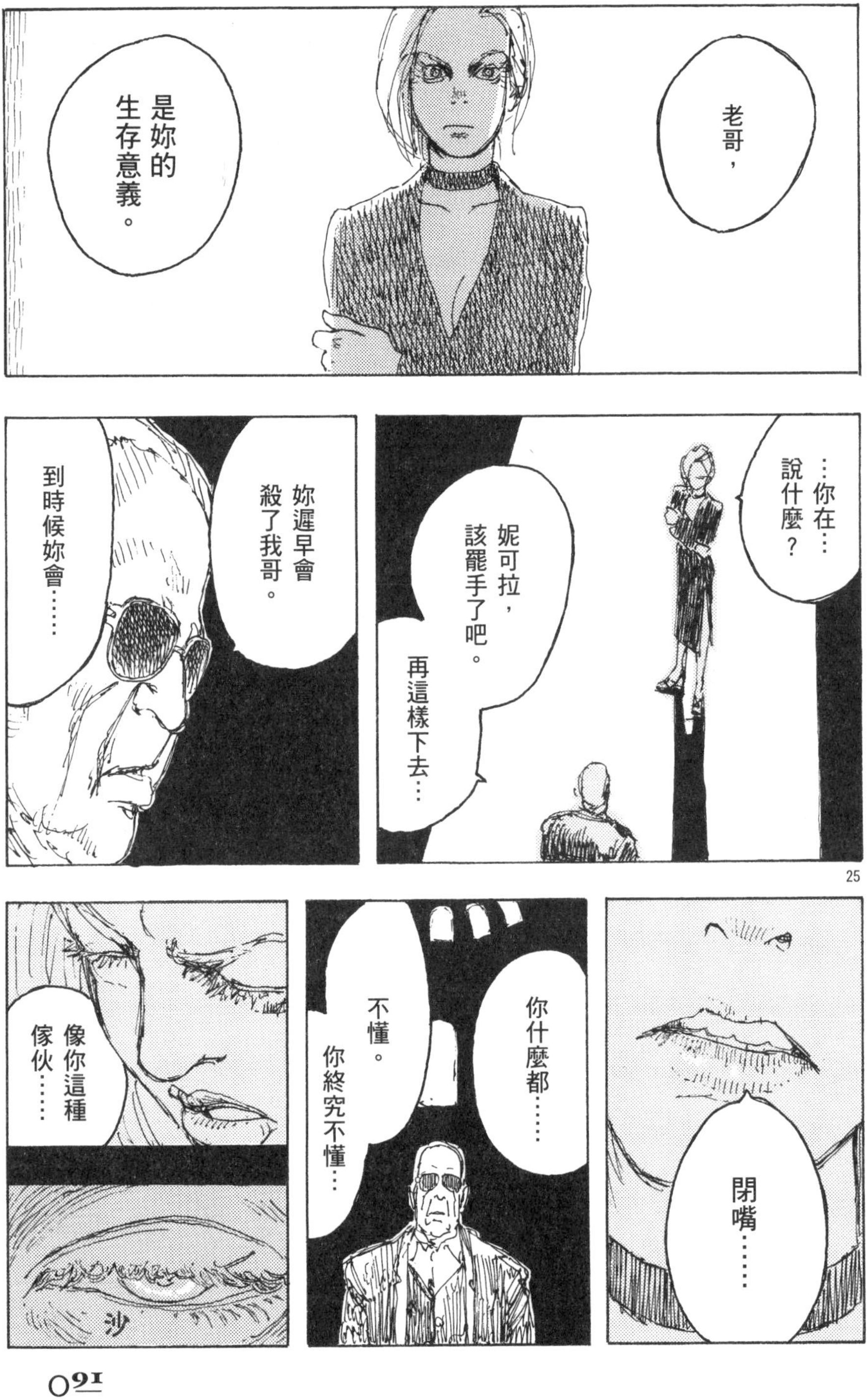
老哥，
是妳的
生存意義。
…你在…
說什麼？
妮可拉，
該罷手了吧。
再這樣下去…
妳遲早會
殺了我哥。
到時候妳會……
閉嘴……
你什麼都……
不懂。
你終究不懂…
像你這種
傢伙……
沙

25

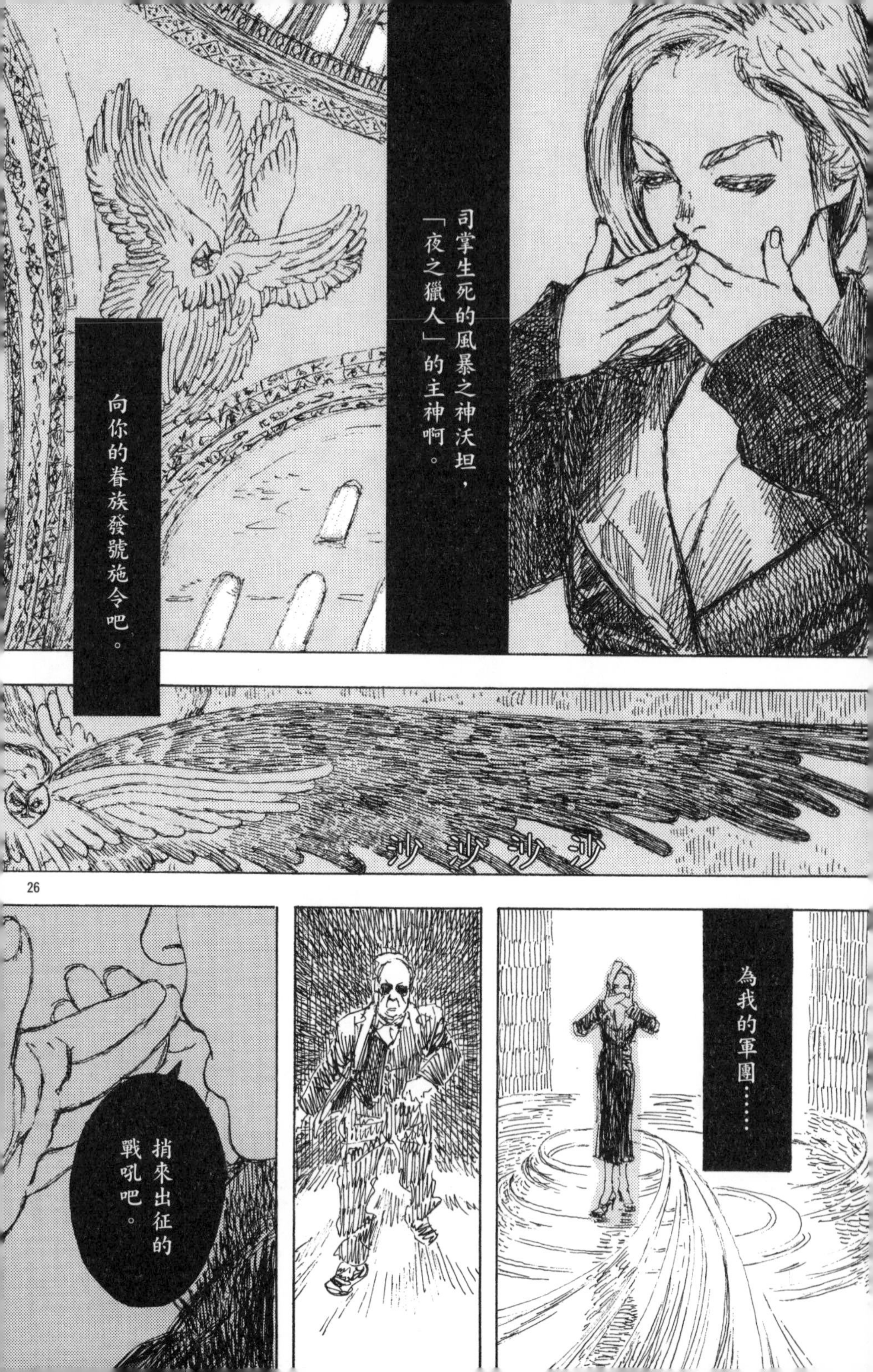
司掌生死的風暴之神沃坦，
「夜之獵人」的主神啊。
向你的眷族發號施令吧。
沙沙沙沙
為我的軍團……
捎來出征的
戰吼吧。

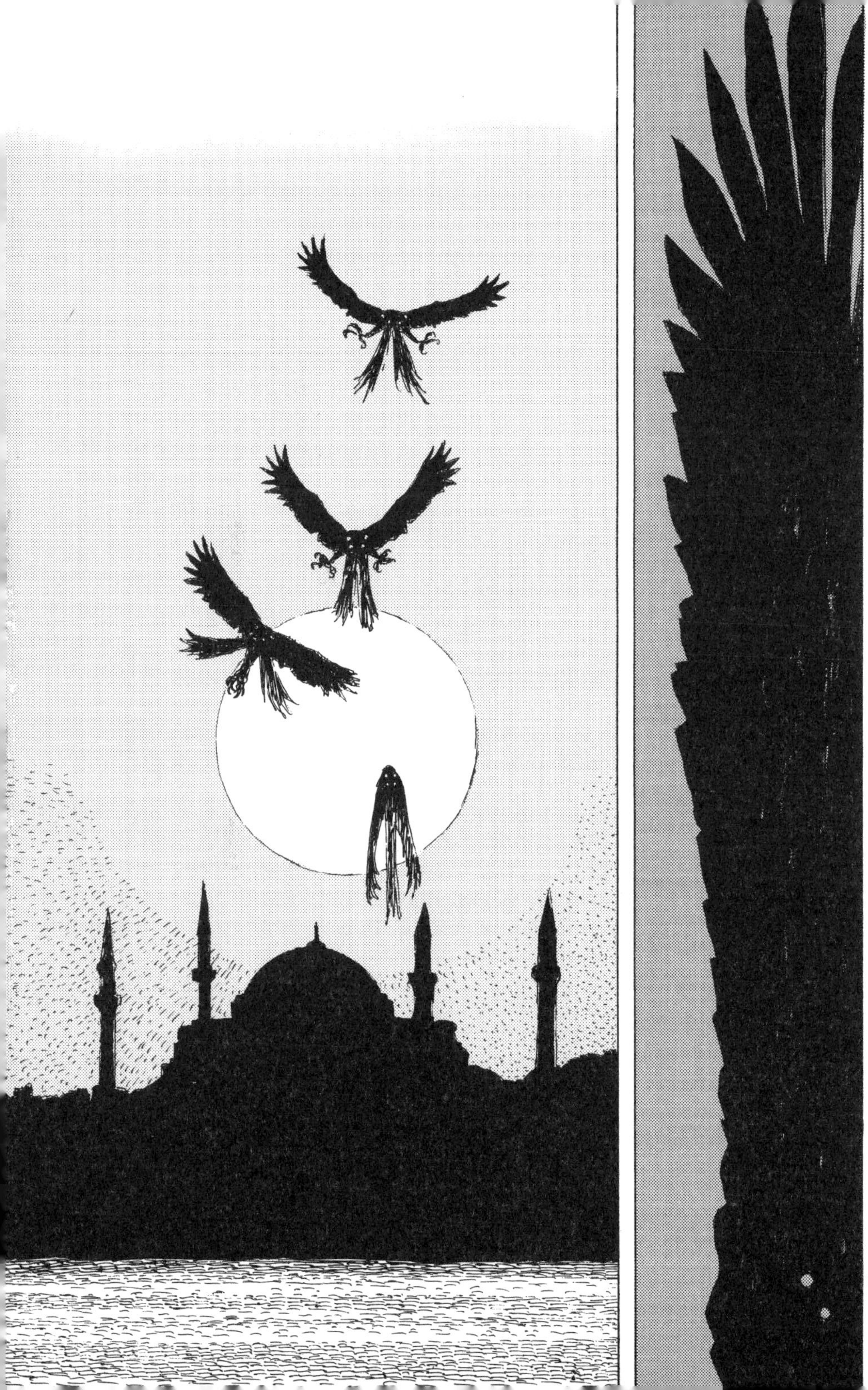

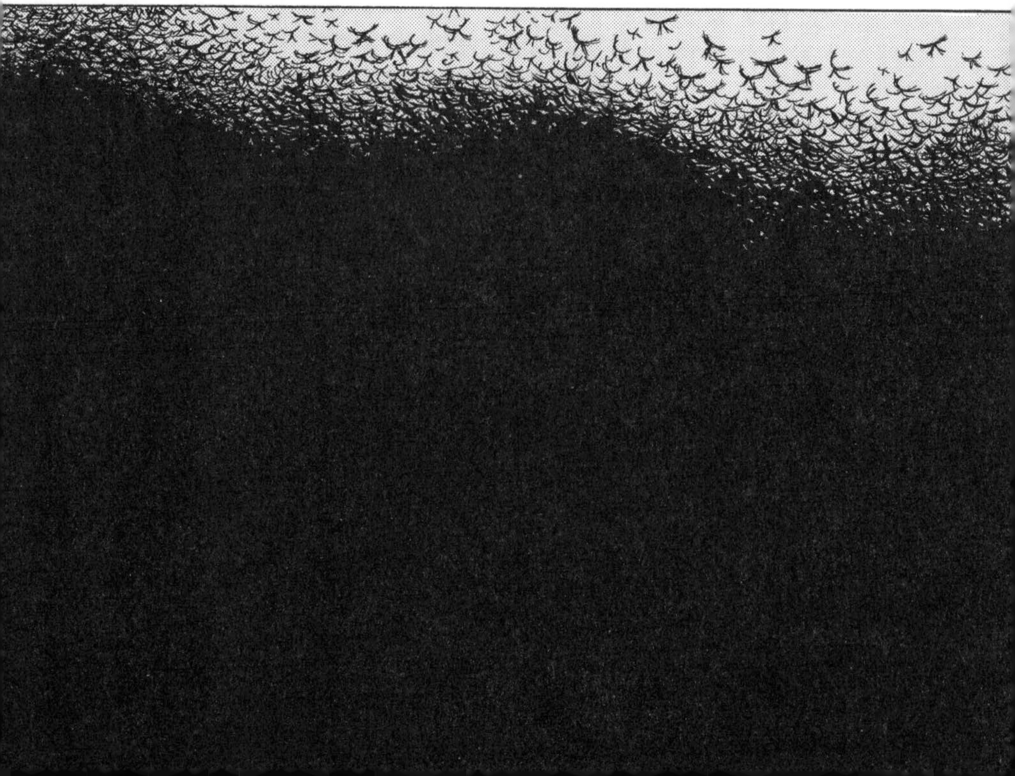

喀噠
喀噠喀噠喀噠 喀噠喀噠
嗯？
風真強啊。
敲門，敲門。
喀噠喀噠喀噠 喀噠喀噠喀噠
交出圓麵包。
呀哈哈。

今晚格外安靜呢。
我們也早點收工吧。
好啊。

汪
汪
汪

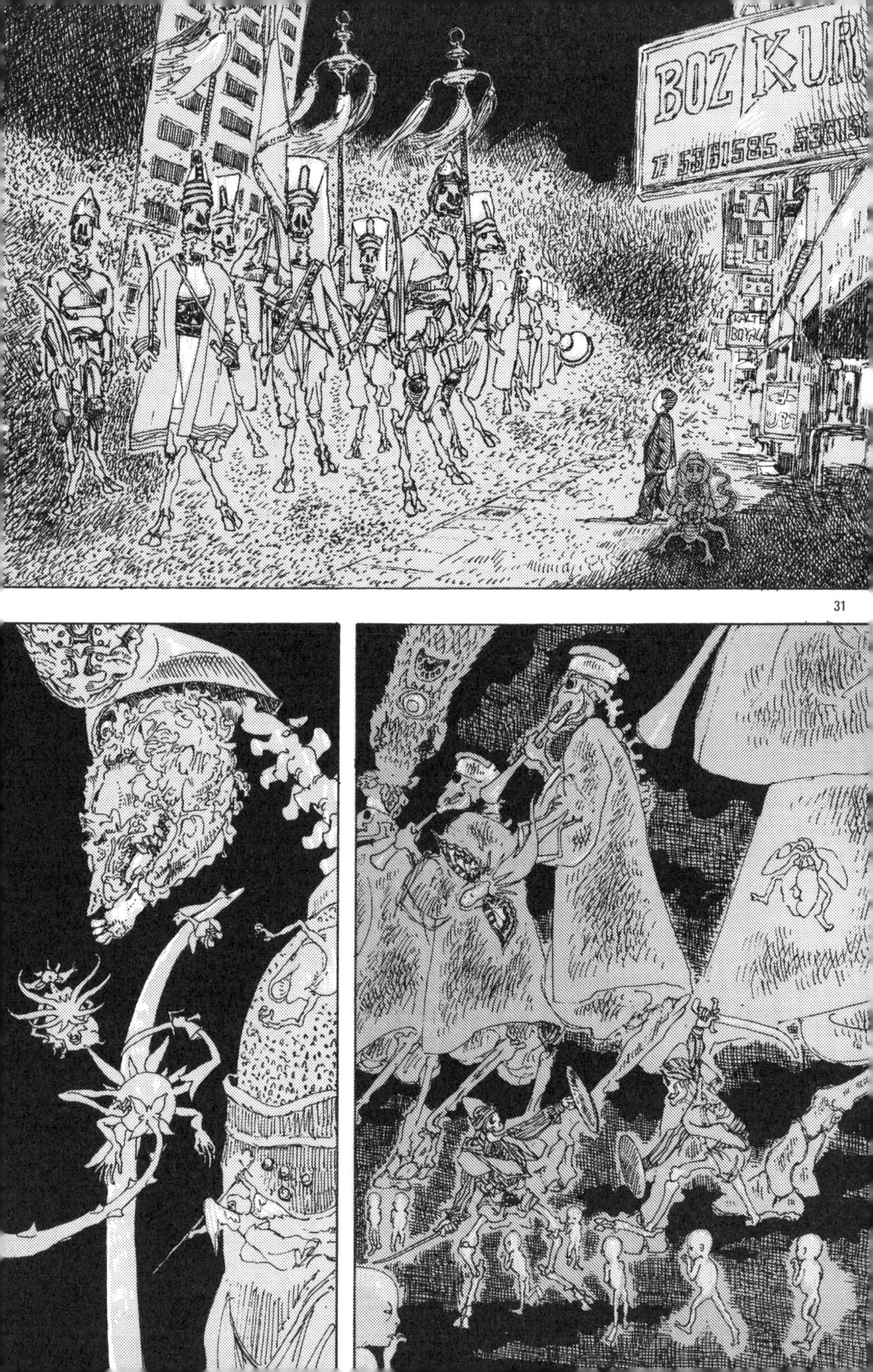
BOZ KUR
KALTE

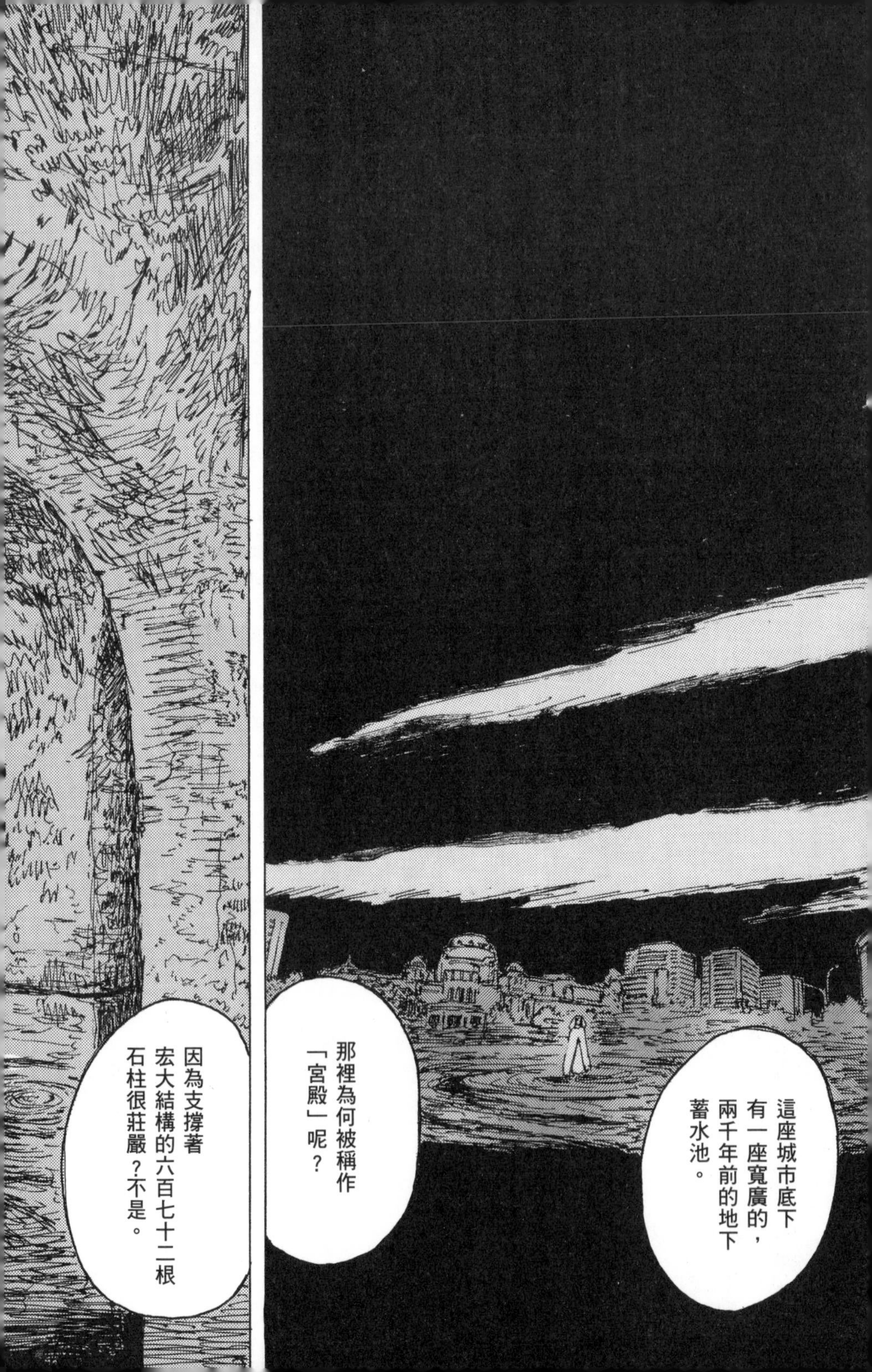
這座城市底下有一座寬廣的，兩千年前的地下蓄水池。
那裡為何被稱作「宮殿」呢？
因為支撐著宏大結構的六百七十二根石柱很莊嚴？不是。

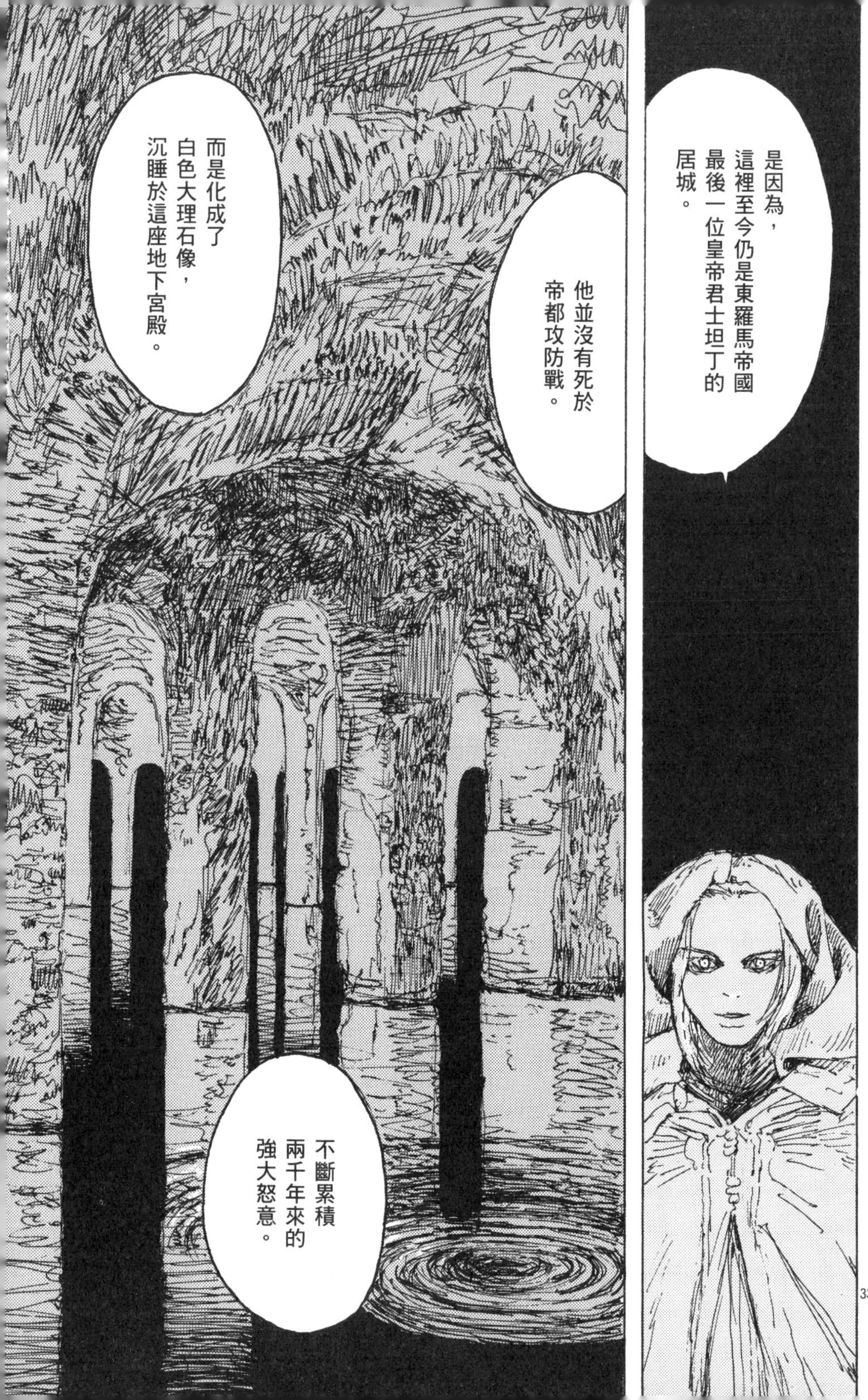
是因為，這裡至今仍是東羅馬帝國最後一位皇帝君士坦丁的居城。
他並沒有死於帝都攻防戰。
而是化成了白色大理石像，沉睡於這座地下宮殿。
不斷累積兩千年來的強大怒意。

他等待著復活之時。
就在你那座骯髒的市集正下方等待著呢。
你早就知情了嗎？這棟建築物，
可是為了鎖住大帝怨念的封印啊⋯⋯
米馬爾！

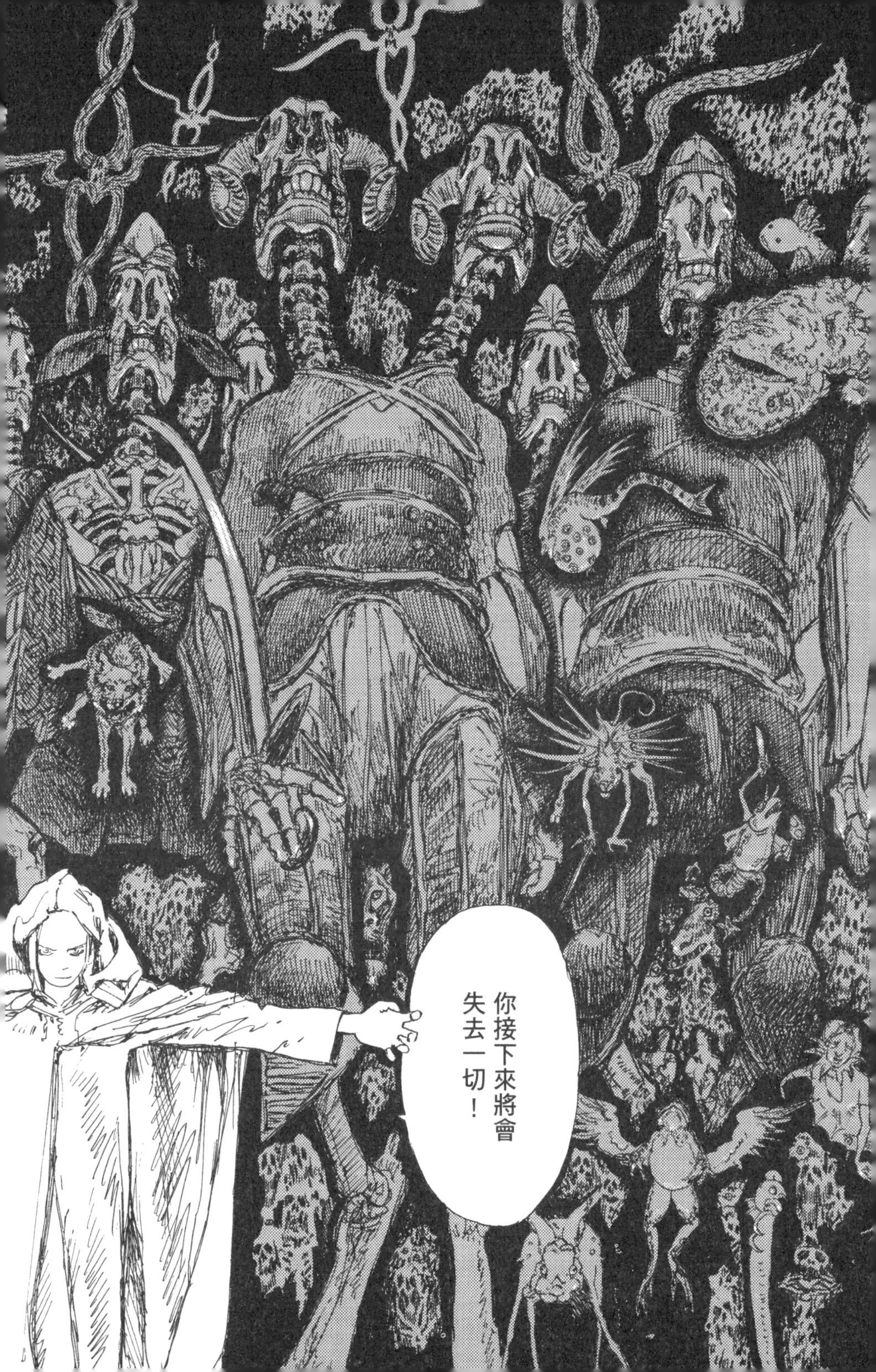
你接下來將會失去一切！

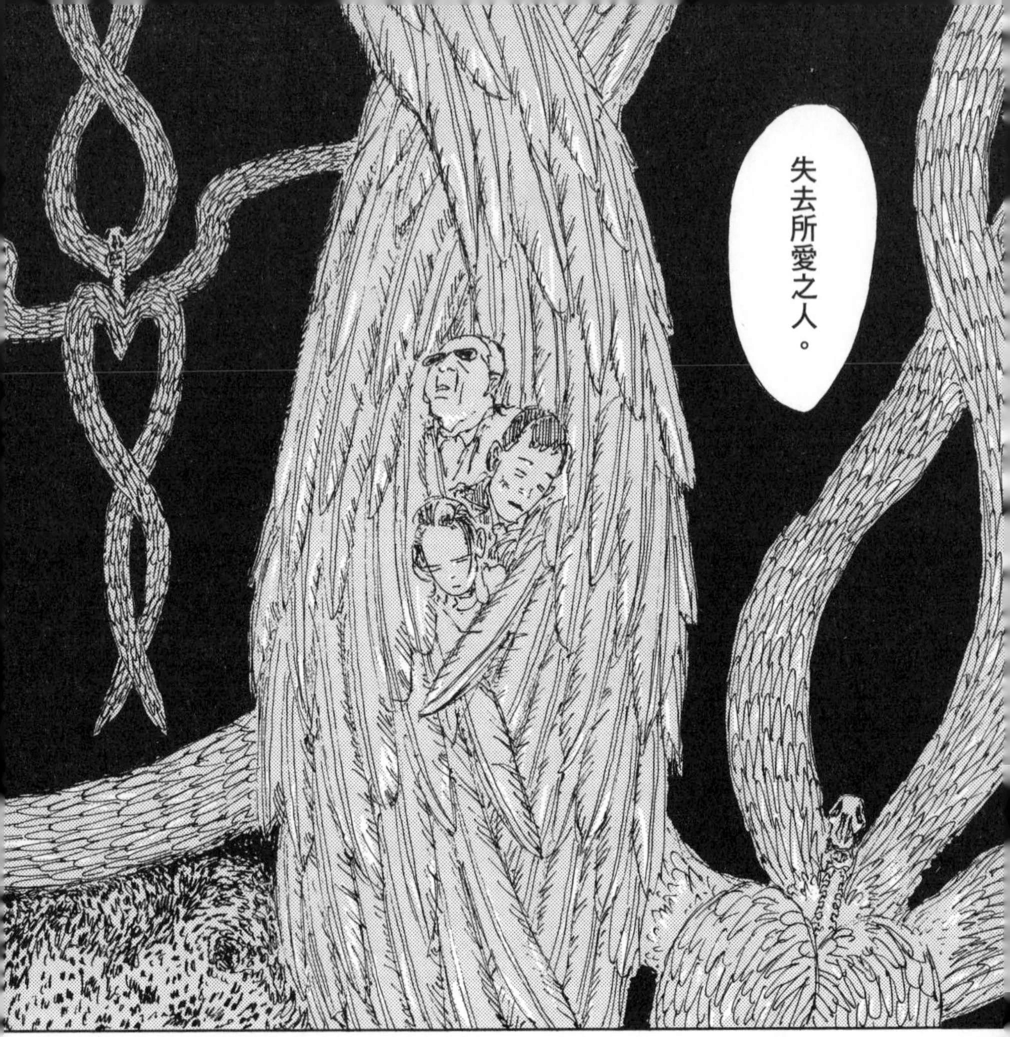
失去所愛之人。

相對地，

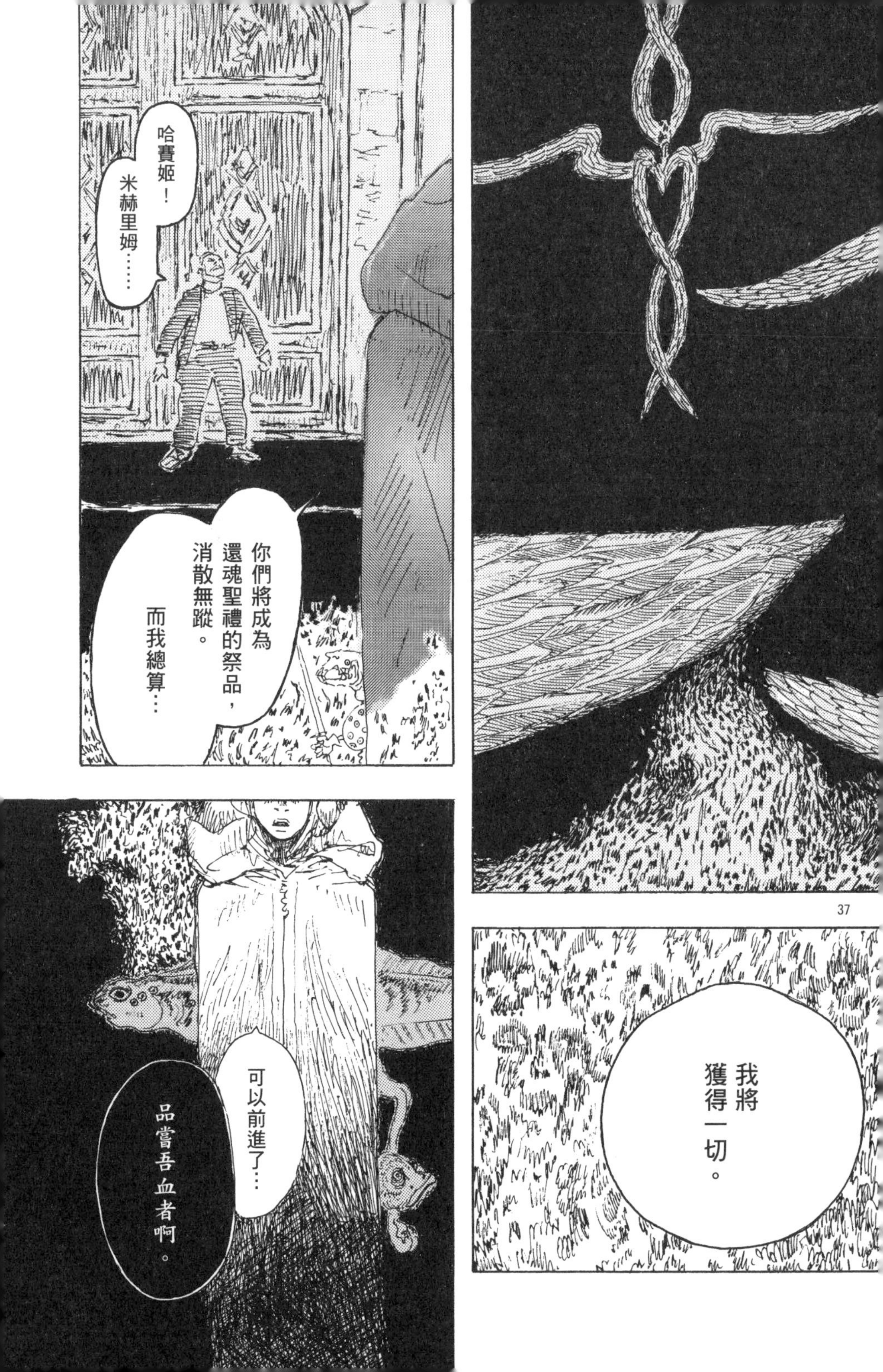
哈賽姬！
米赫里姆……
你們將成為還魂聖禮的祭品，消散無蹤。
而我總算…
可以前進了…
品嘗吾血者啊。
我將獲得一切。

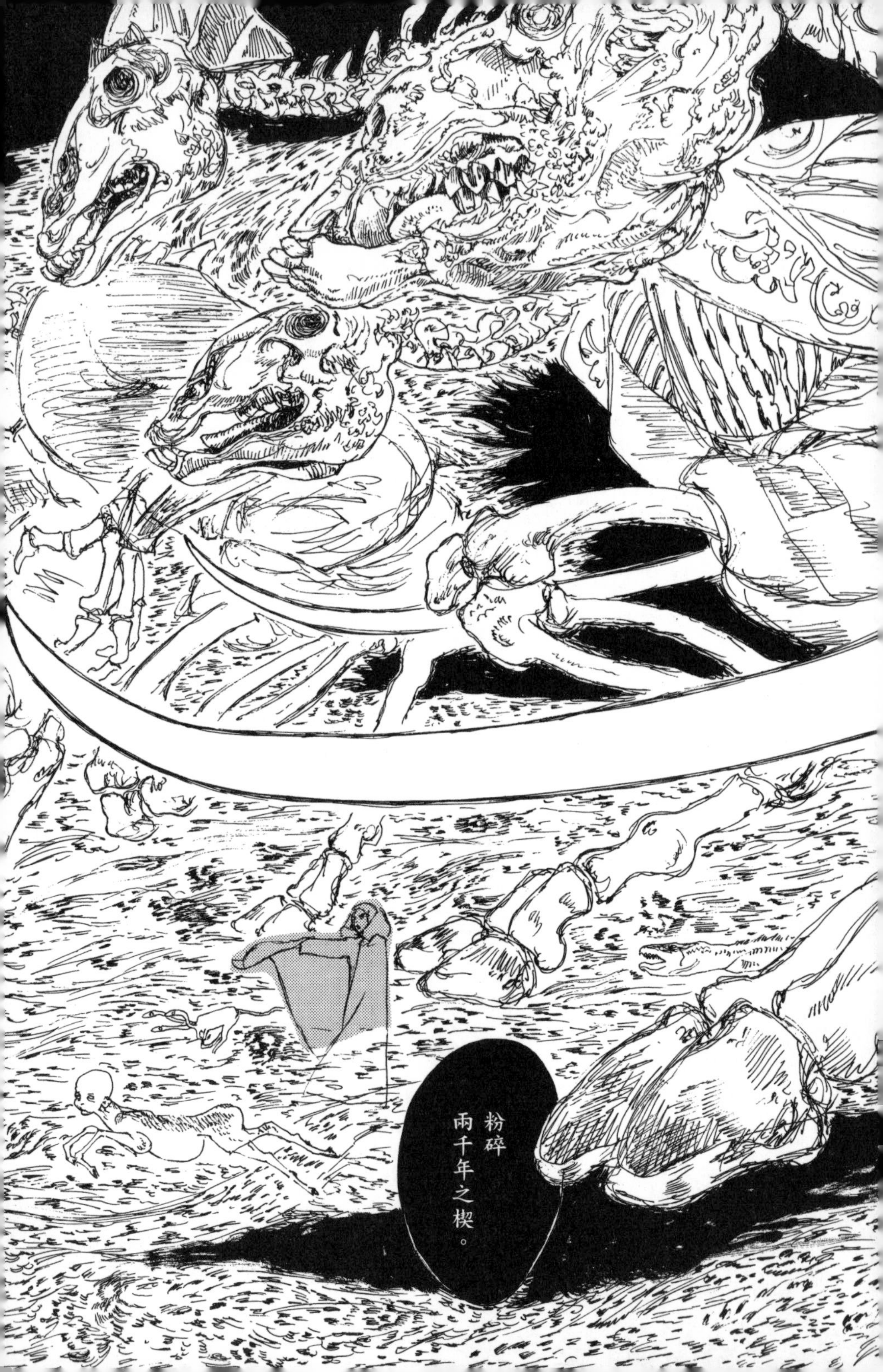
粉碎
兩千年之楔。

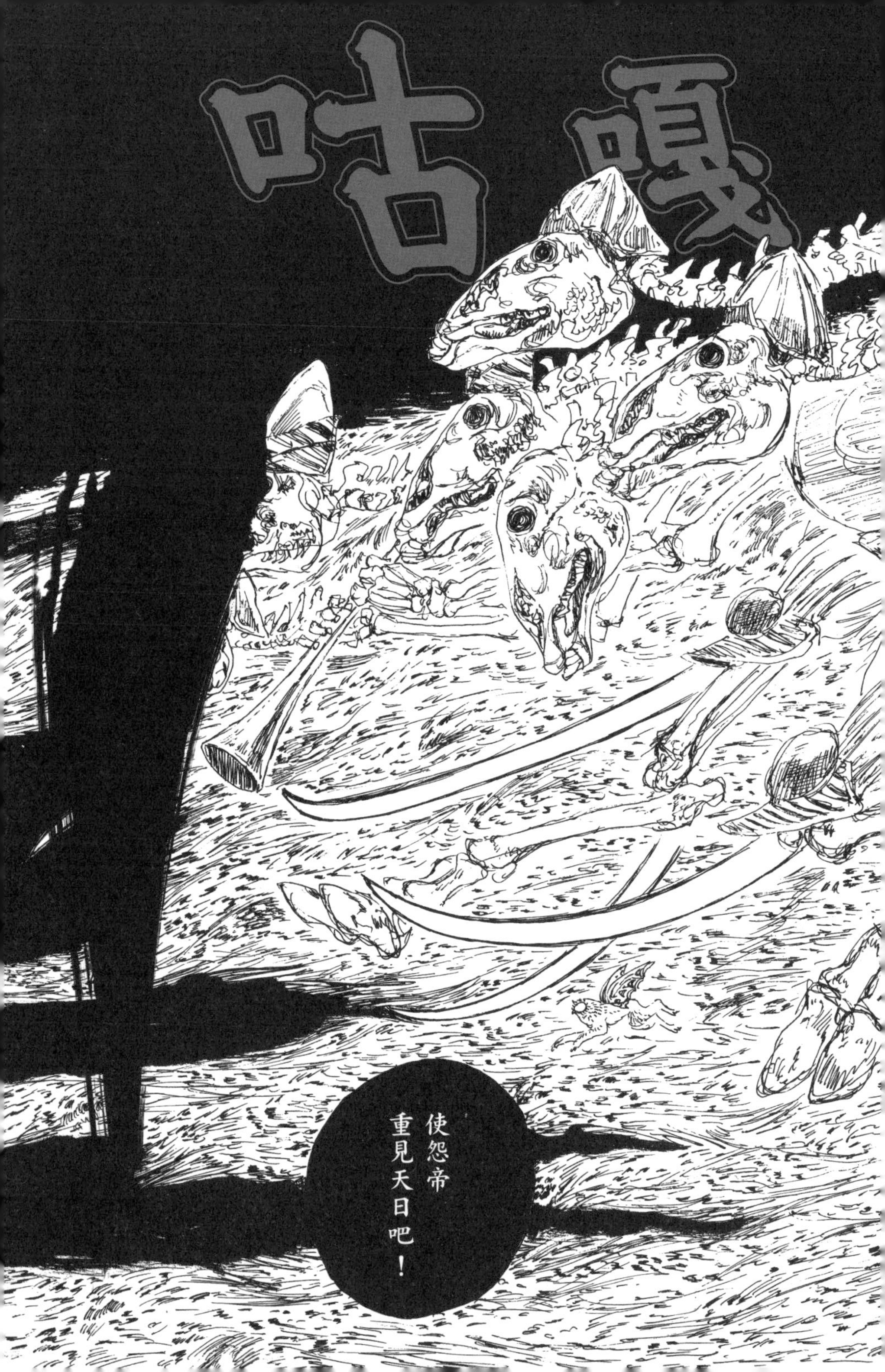
咕嘎
使怨帝重見天日吧！

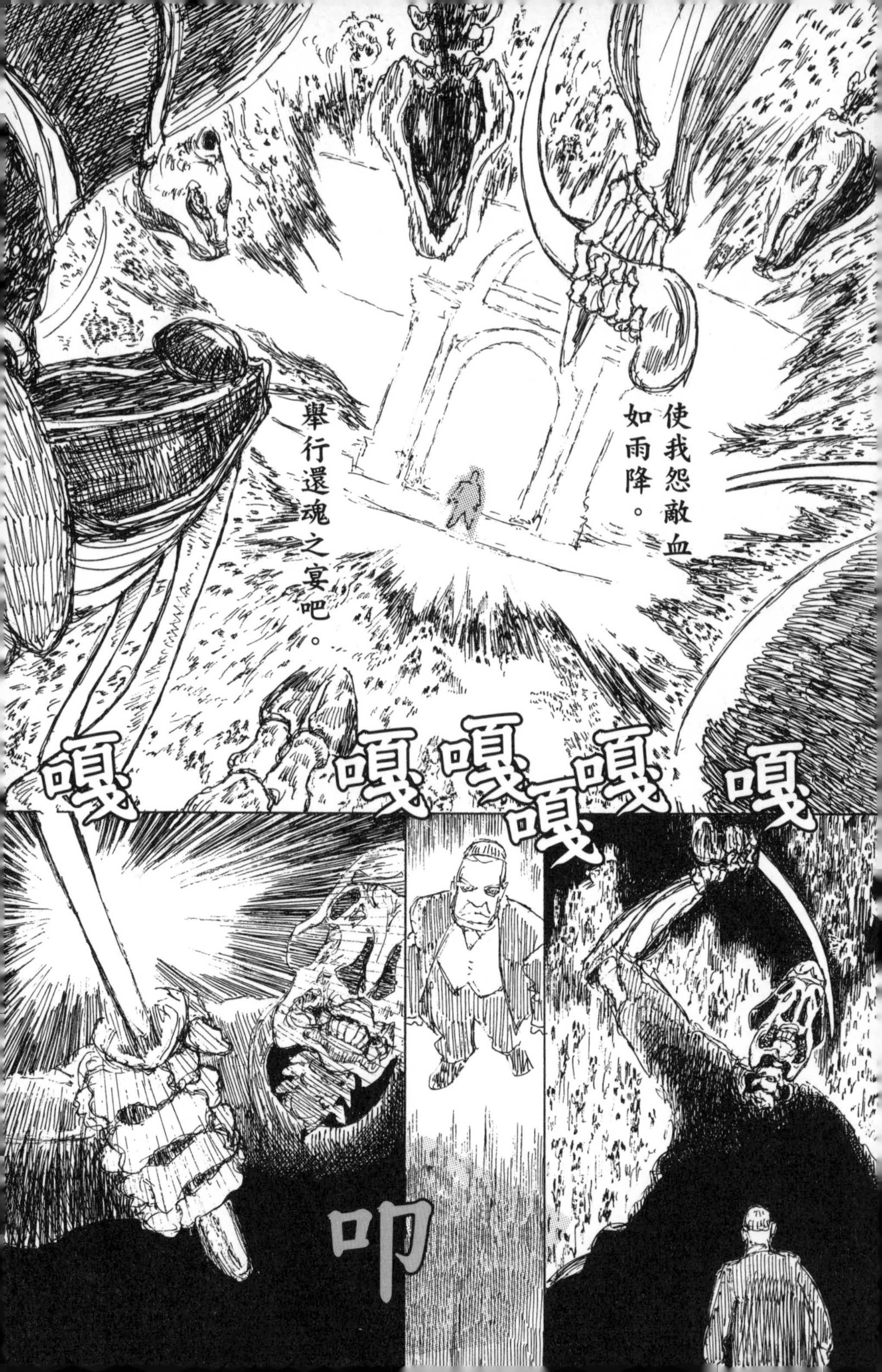
使我怨敵血如雨降。
舉行還魂之宴吧。
嘎嘎嘎嘎嘎嘎
叩

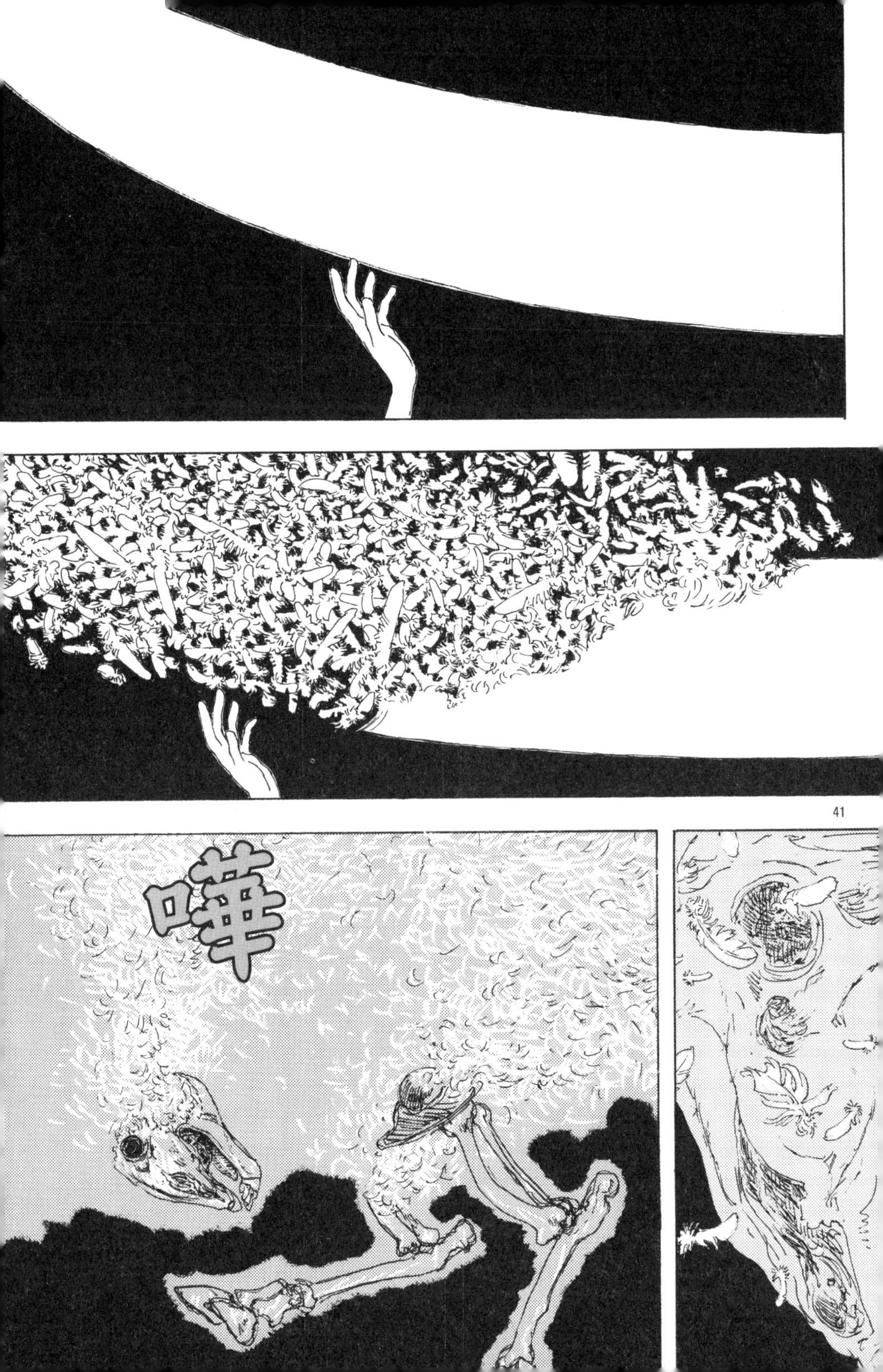
嘩

唰唰嘩唰嘩唰唰
唰
嘩
唰唰唰
怎麼會。
這到底是…
…妳果然看不到呢。
看不到這個少女。

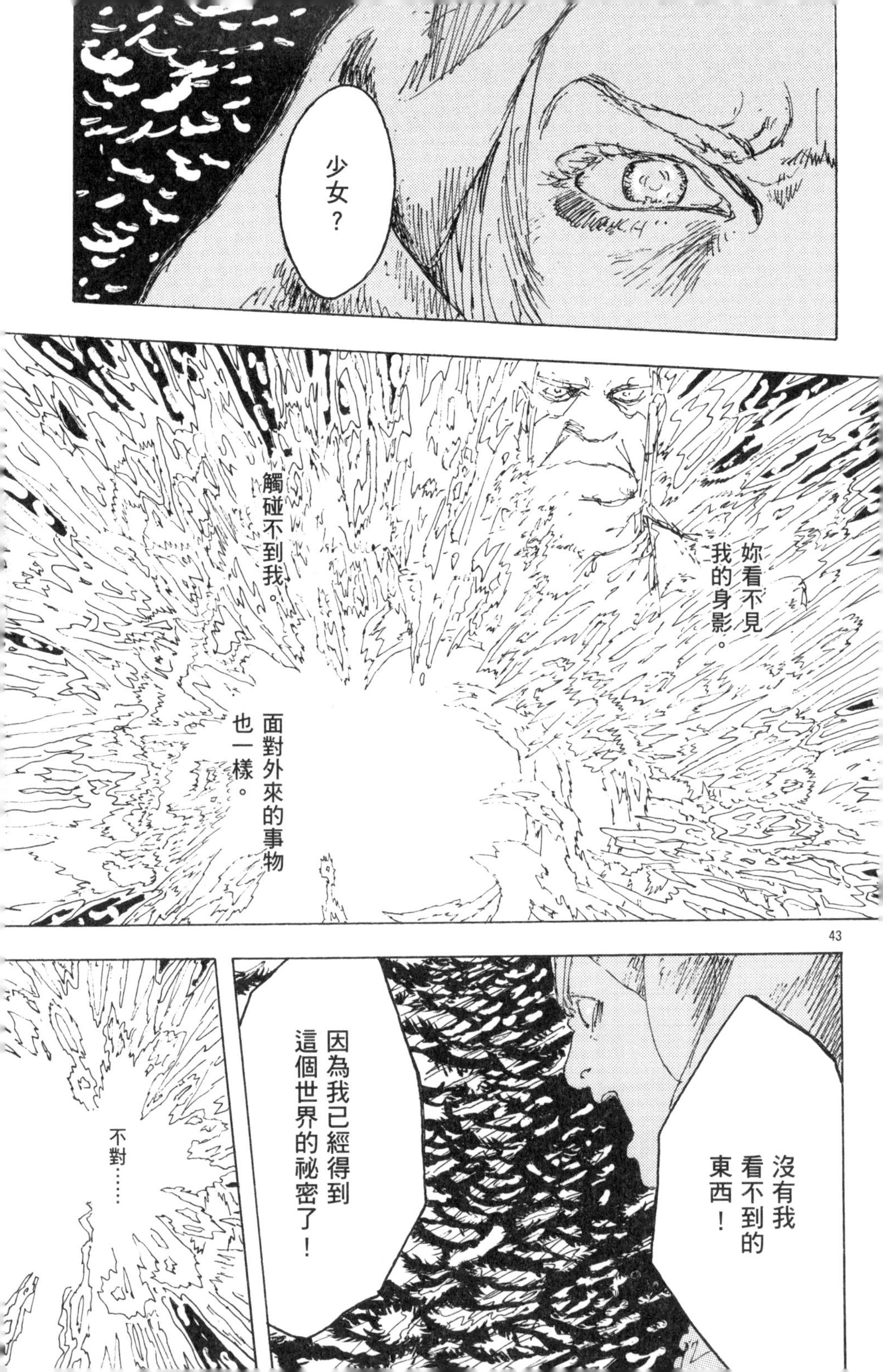
少女？
妳看不見
我的身影。
觸碰不到我。
面對外來的事物
也一樣。
沒有我
看不到的
東西！
因為我已經得到
這個世界的祕密了！
不對……

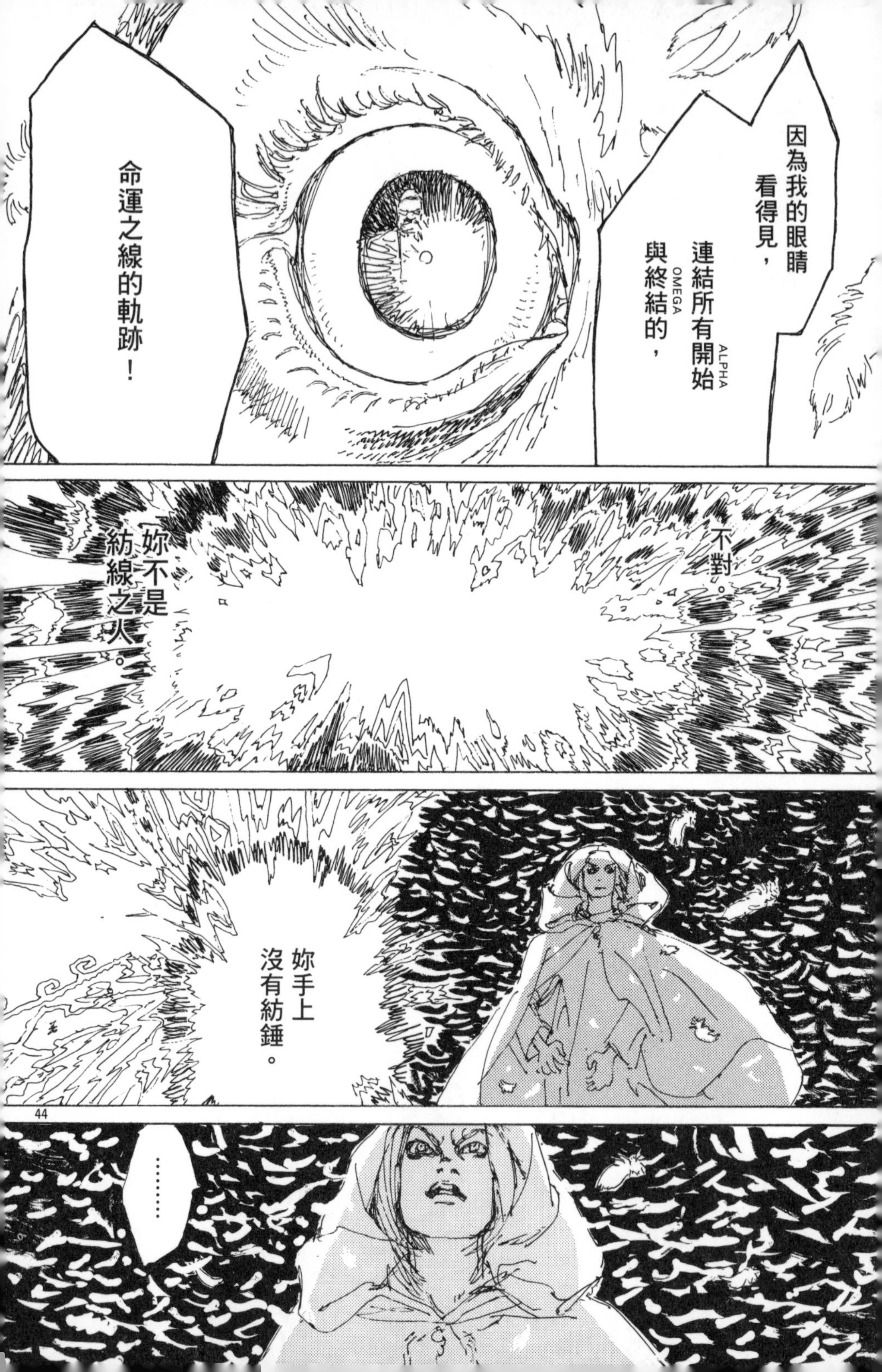
因為我的眼睛
看得見，
連結所有開始(ALPHA)
與終結的(OMEGA)，
命運之線的軌跡！
不對。
妳不是
紡線之人。
妳手上
沒有紡錘。
……

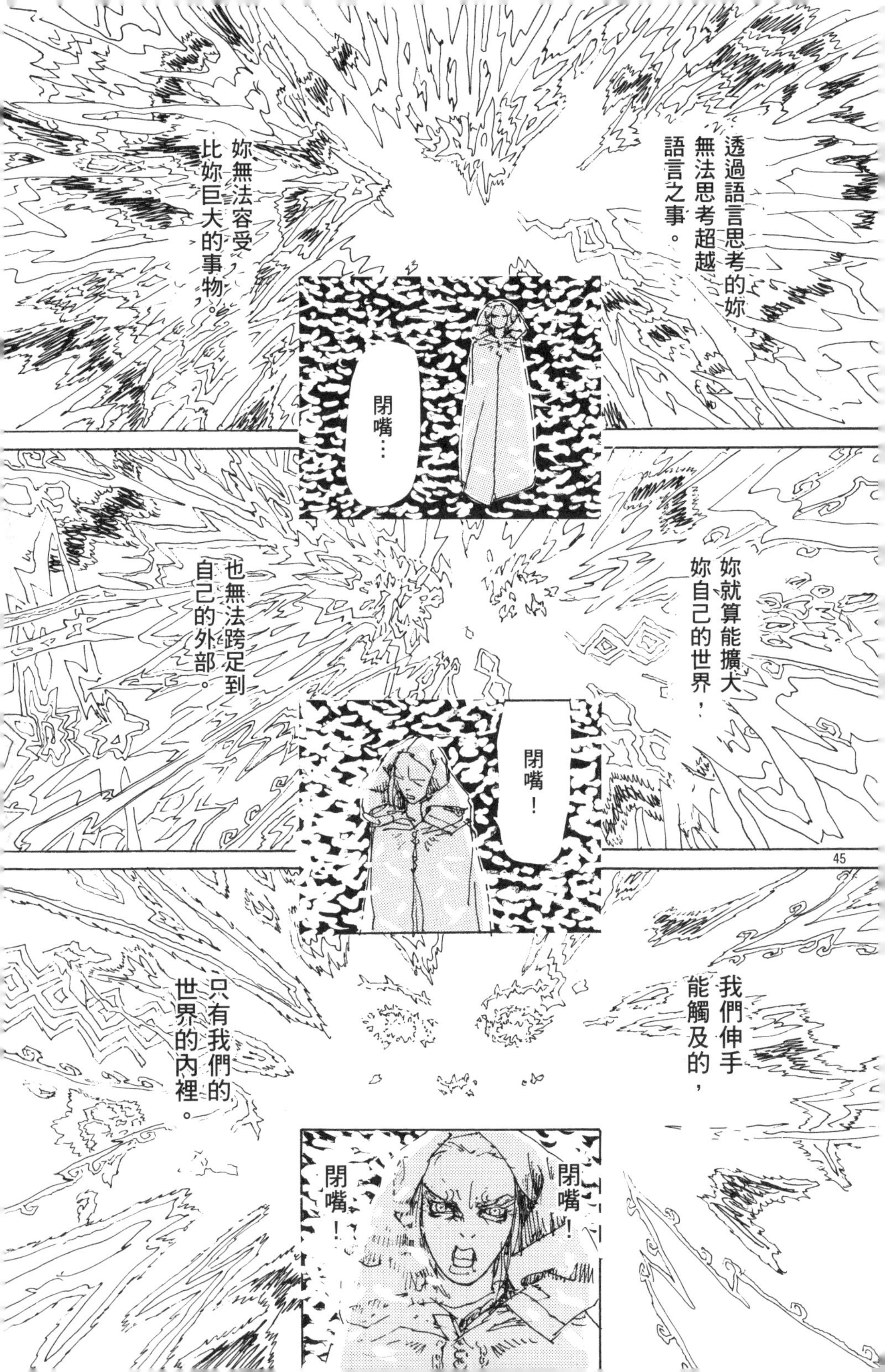
透過語言思考的妳，
無法思考超越
語言之事。
妳無法容受
比妳巨大的事物。
閉嘴……
妳就算能擴大
妳自己的世界，
也無法跨足到
自己的外部。
閉嘴！
我們伸手
能觸及的，
只有我們的
世界的內裡。
閉嘴！
閉嘴！

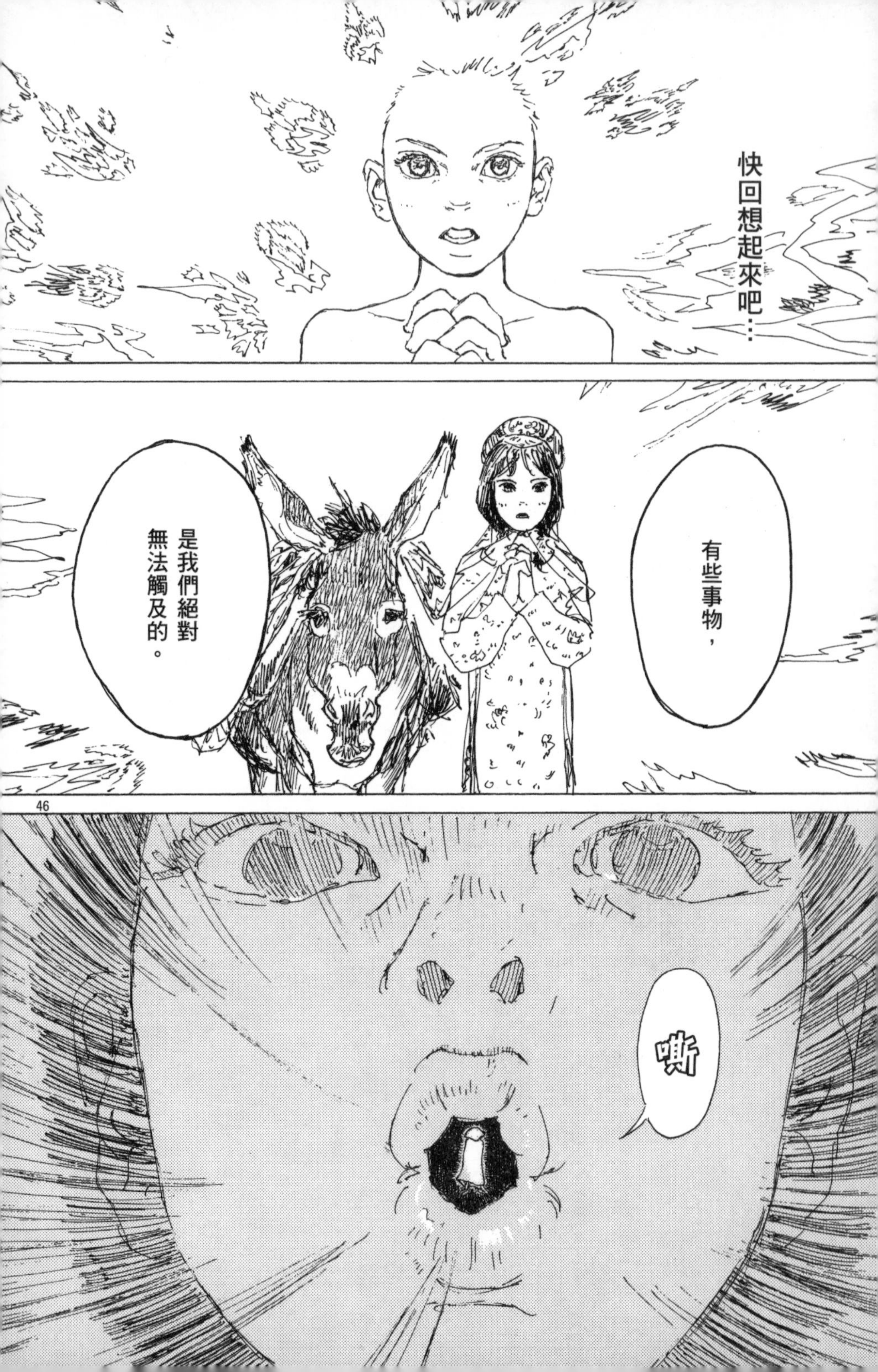
快回想起來吧……
有些事物，
是我們絕對無法觸及的。
嘶

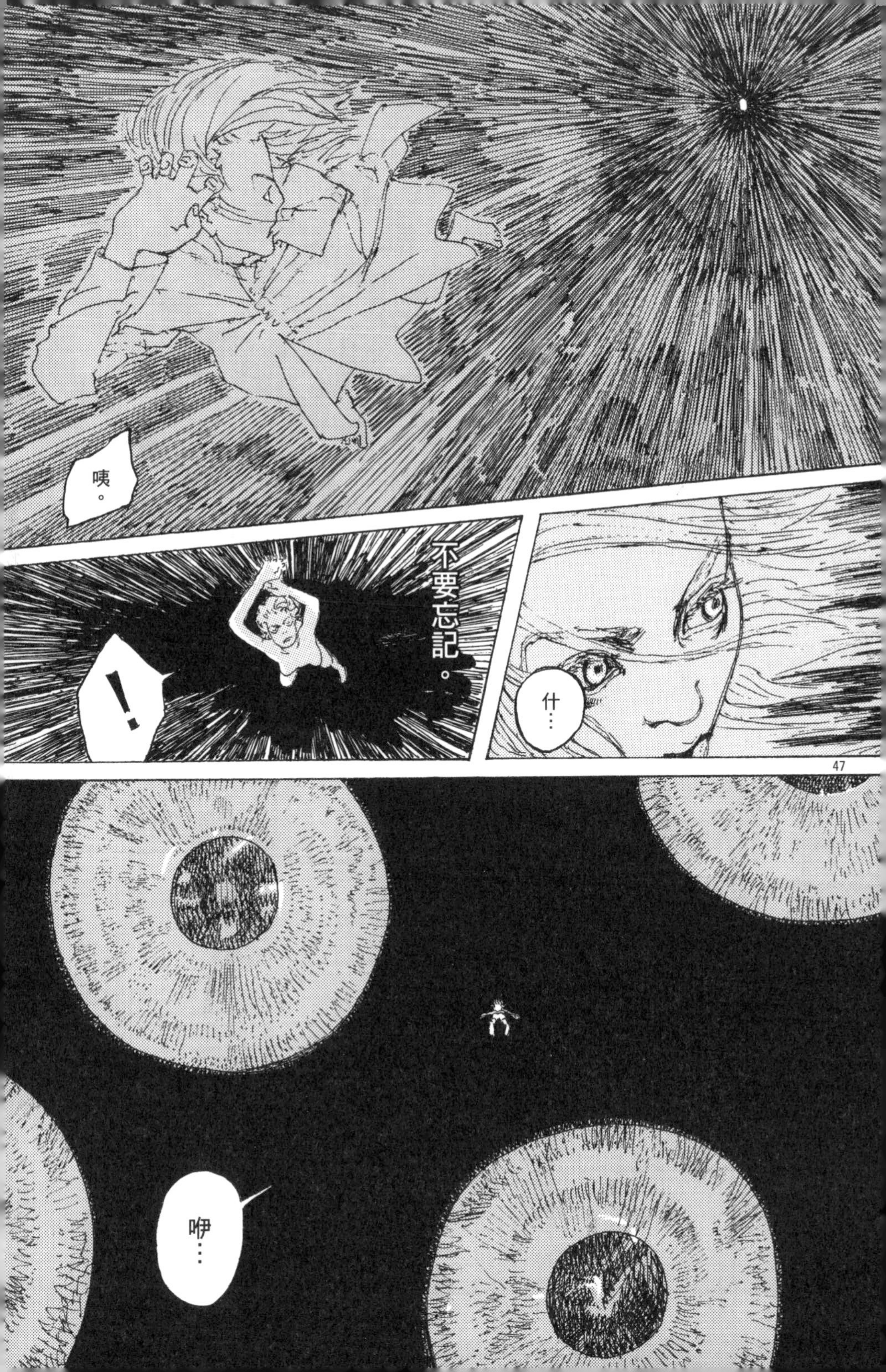
咦。
什…
不要忘記。
!
咿…

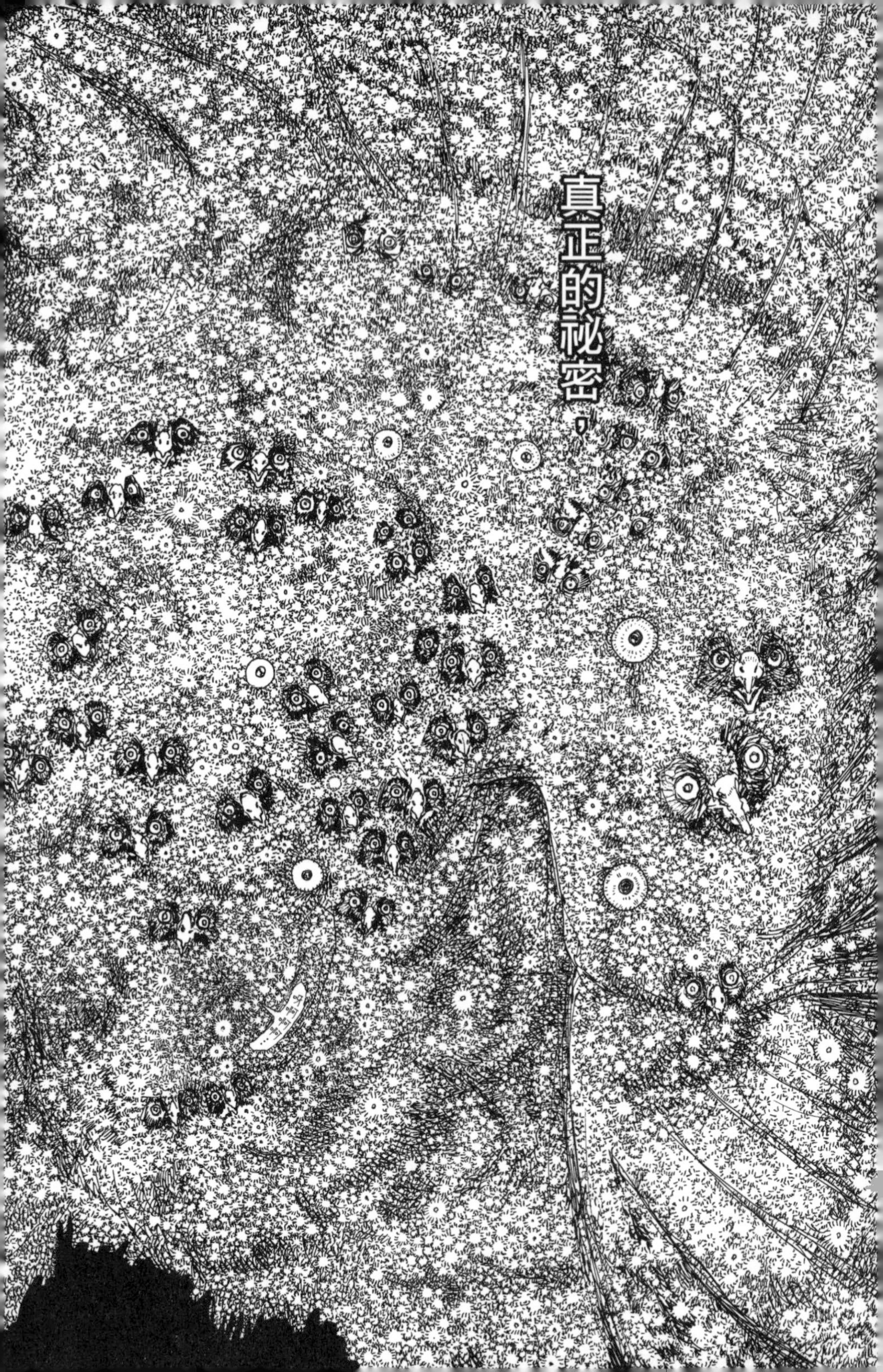

真正的祕密，
呀啊啊啊……

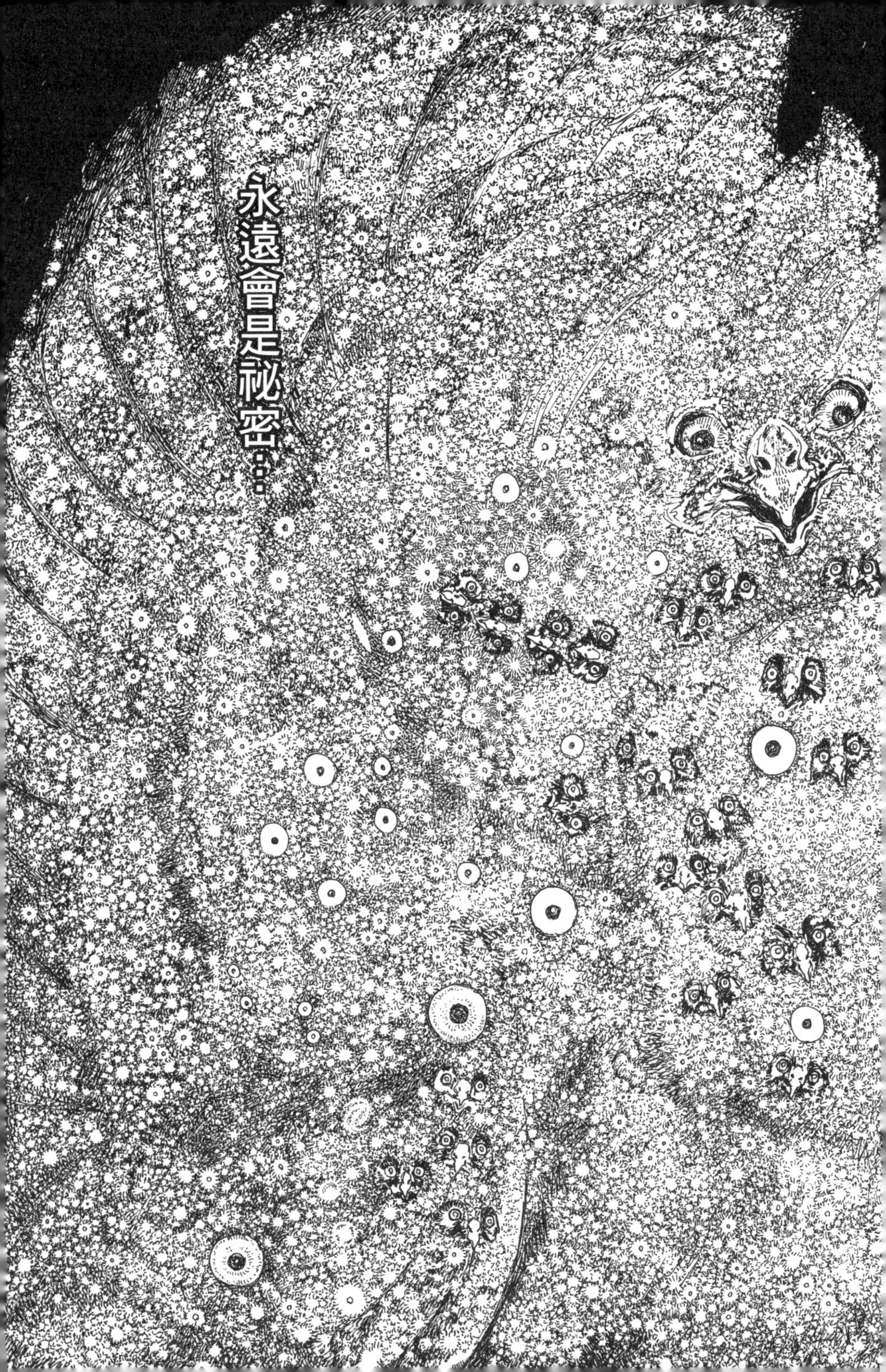
永遠會是祕密……

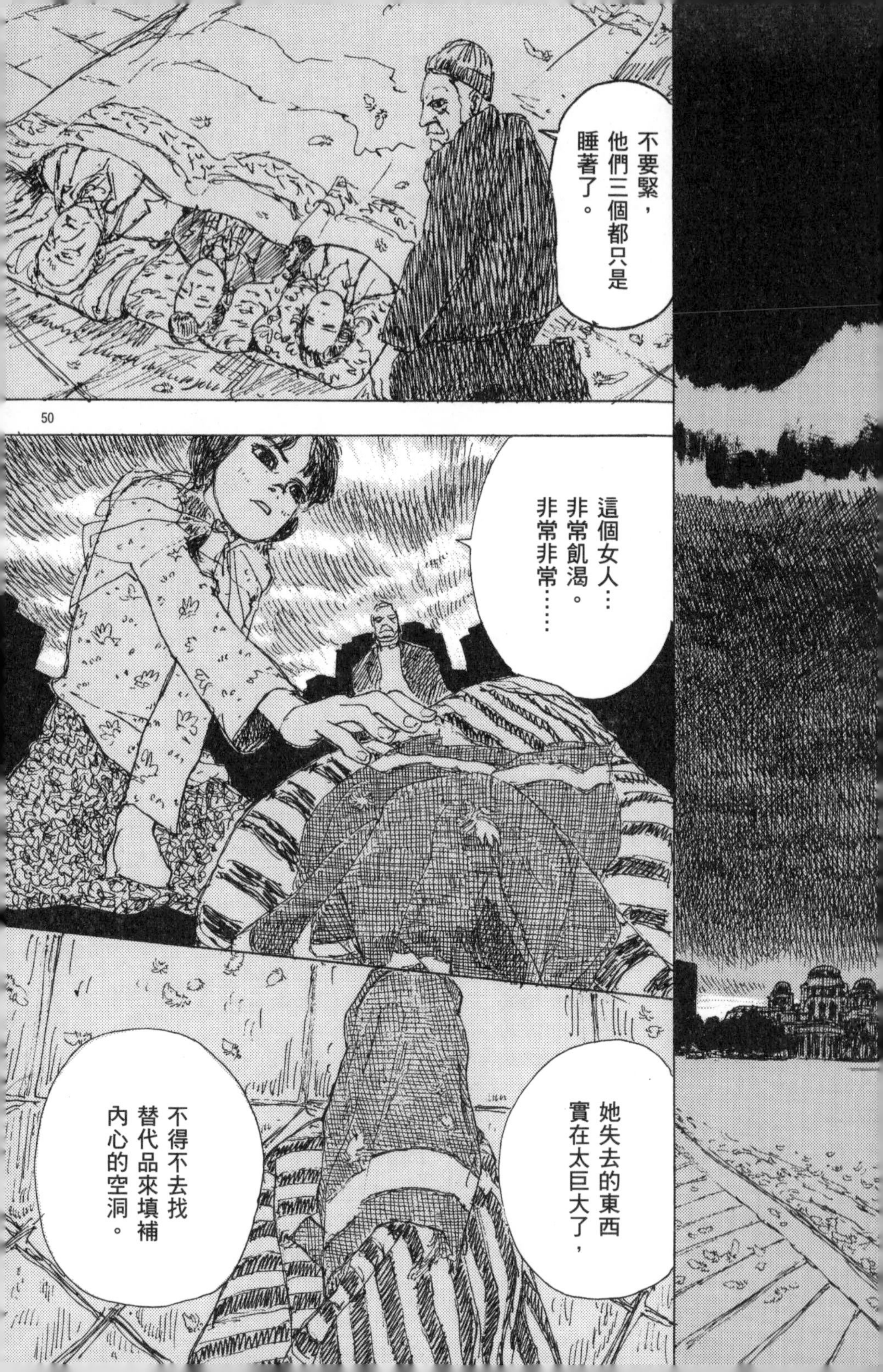
不要緊，他們三個都只是睡著了。
這個女人…非常飢渴。非常非常……
她失去的東西實在太巨大了，
不得不去找替代品來填補內心的空洞。

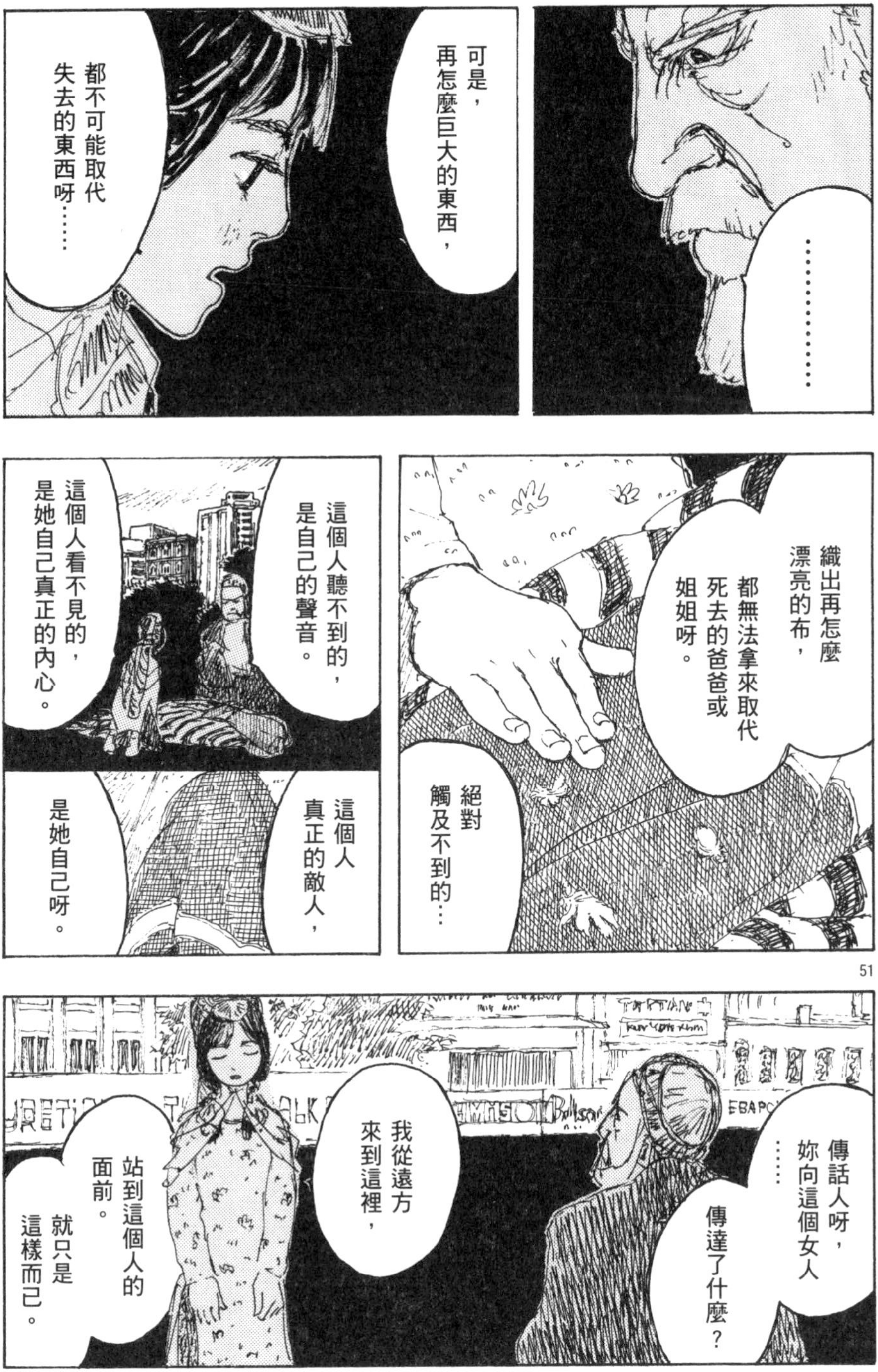
……
可是，再怎麼巨大的東西，
都不可能取代失去的東西呀……
織出再怎麼漂亮的布，
都無法拿來取代死去的爸爸或姐姐呀。
絕對觸及不到的…
這個人聽不到的，是自己的聲音。
這個人看不見的，是她自己真正的內心。
這個人真正的敵人，
是她自己呀。
51
傳話人呀，妳向這個女人……
傳達了什麼？
我從遠方來到這裡，
站到這個人的面前。
就只是這樣而已。

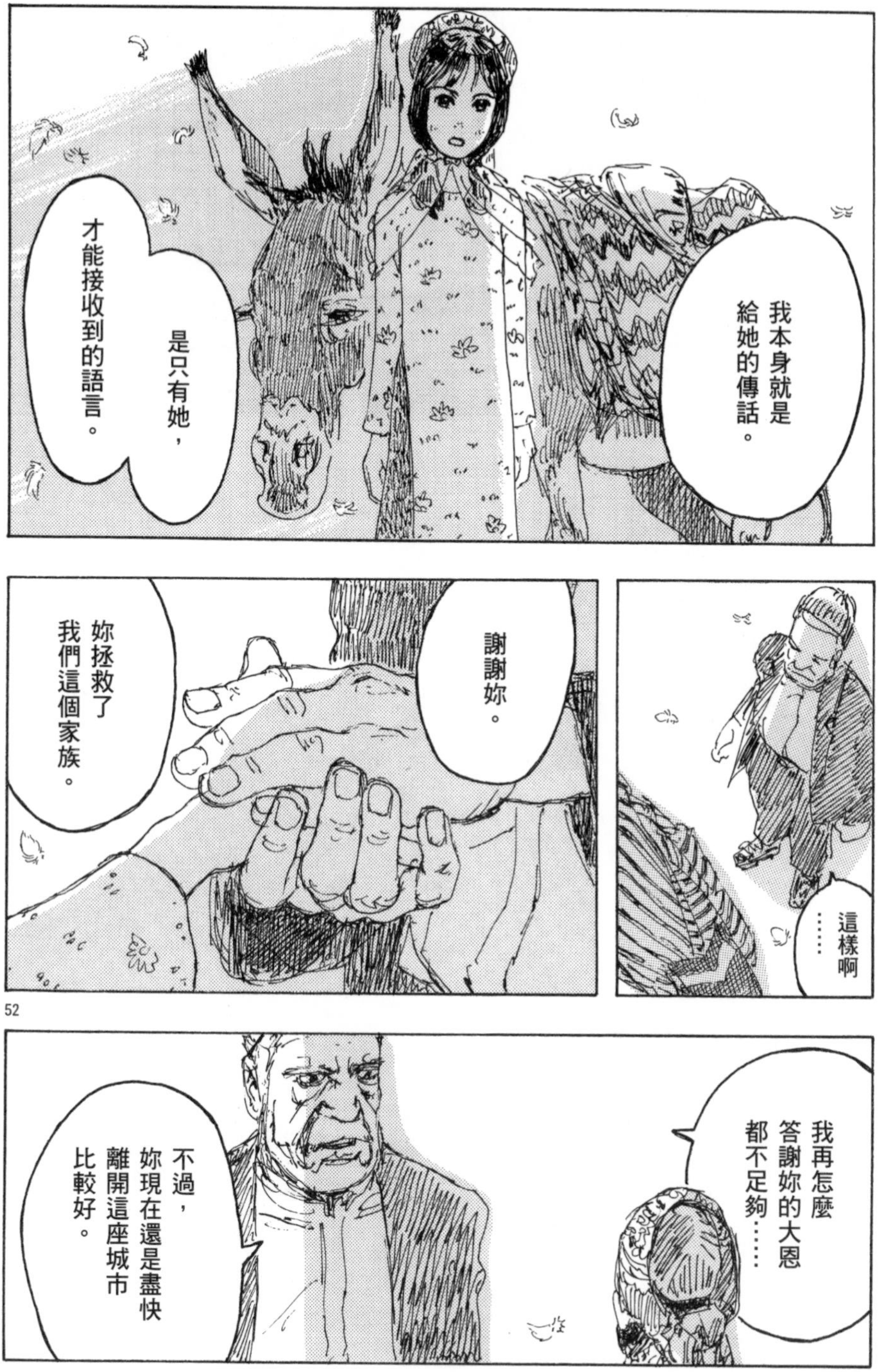
我本身就是給她的傳話。
是只有她，才能接收到的語言。
這樣啊……
謝謝妳。
妳拯救了我們這個家族。
我再怎麼答謝妳的大恩都不足夠……
不過，妳現在還是盡快離開這座城市比較好。

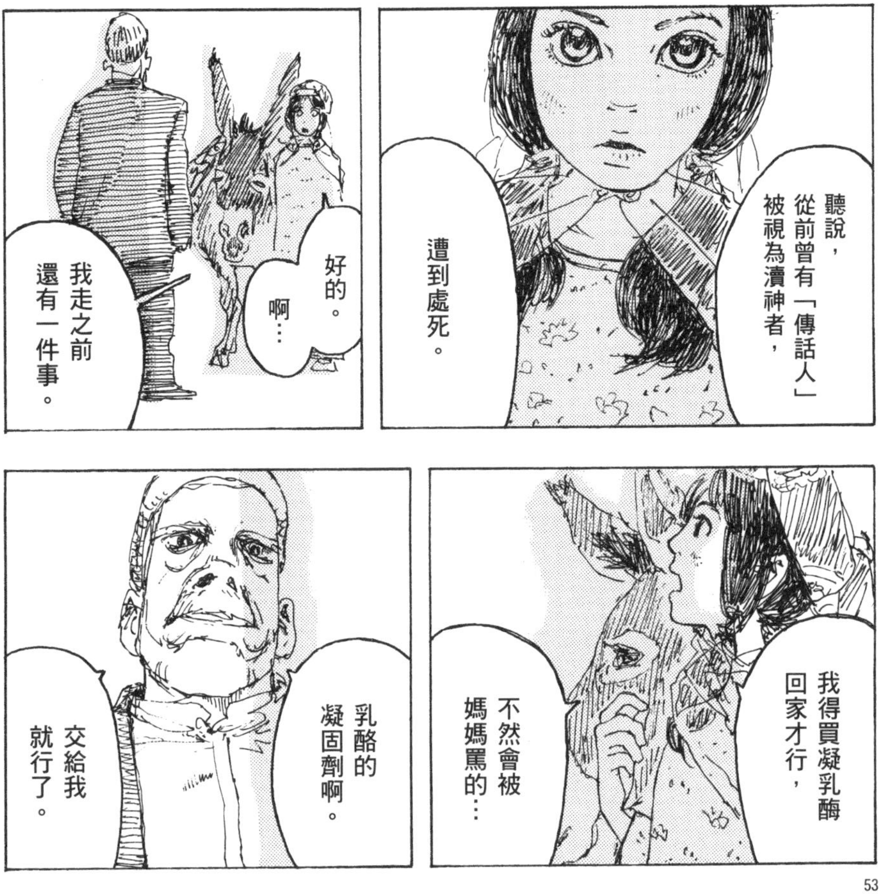
聽說，
從前曾有「傳話人」
被視為瀆神者，
遭到處死。
好的。
啊…
我走之前
還有一件事。
我得買凝乳酶
回家才行，
不然會被
媽媽罵的…
乳酪的
凝固劑啊。
交給我
就行了。

在這座市集，
任何想要的
東西都弄得
到手。
嘰——

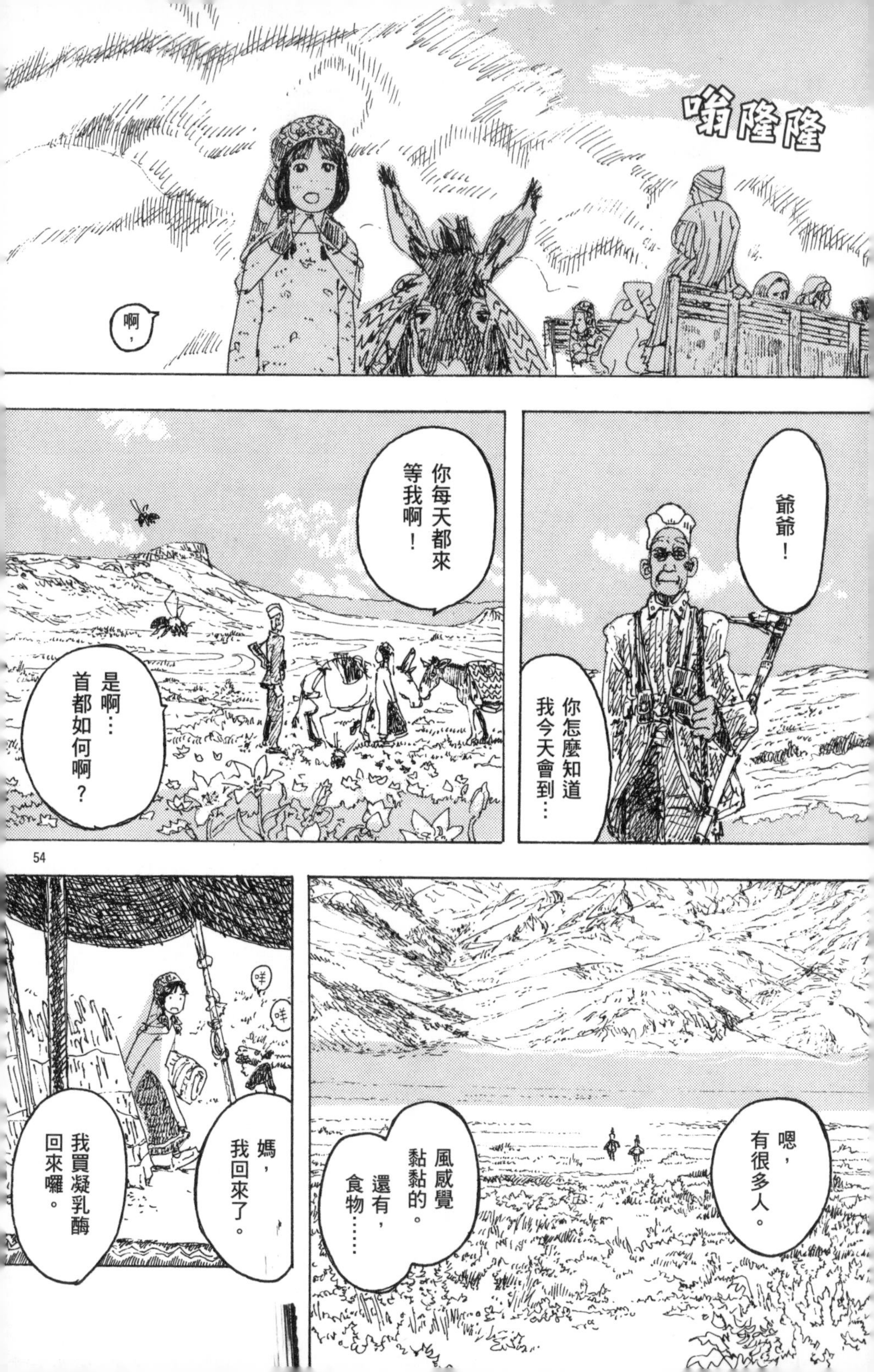
嗡隆隆
啊，
爺爺！
你怎麼知道我今天會到…
你每天都來等我啊！
是啊…首都如何啊？
嗯，有很多人。
風感覺黏黏的。還有，食物……
媽，我回來了。
我買凝乳酶回來囉。
咩
咩

好幾天不在家，真對不起。
奶油做了嗎？我馬上……
哎唷！
我擔心死了啊……
妳一去，
我姐就聯絡我說她搬家了……
唉呀，我好想衝到首都去找妳，
可是羊啊，妳的弟弟們啊，也要照顧。
哎唷，妳看起來氣色很好…太好了…
……平安回來了呢……
歡迎回家……
……

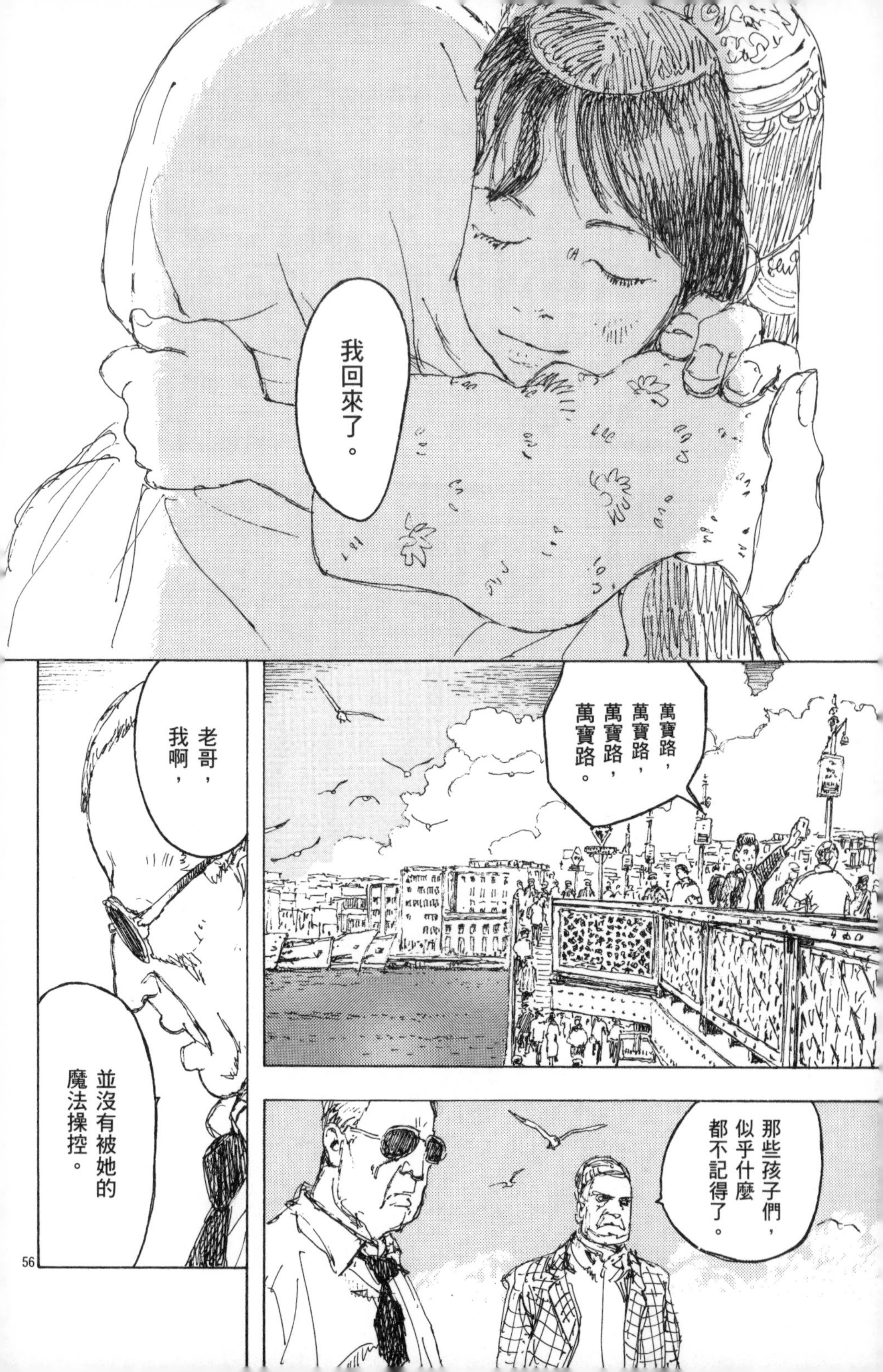
我回來了。
萬寶路，萬寶路，萬寶路。
老哥，我啊，
並沒有被她的魔法操控。
那些孩子們，似乎什麼都不記得了。

我接下來……
嗯。
該看著什麼活下去呢……

妮可拉·法辛霍……
妳受了屈辱，卻又無法如願死去，
想必很不甘心吧……

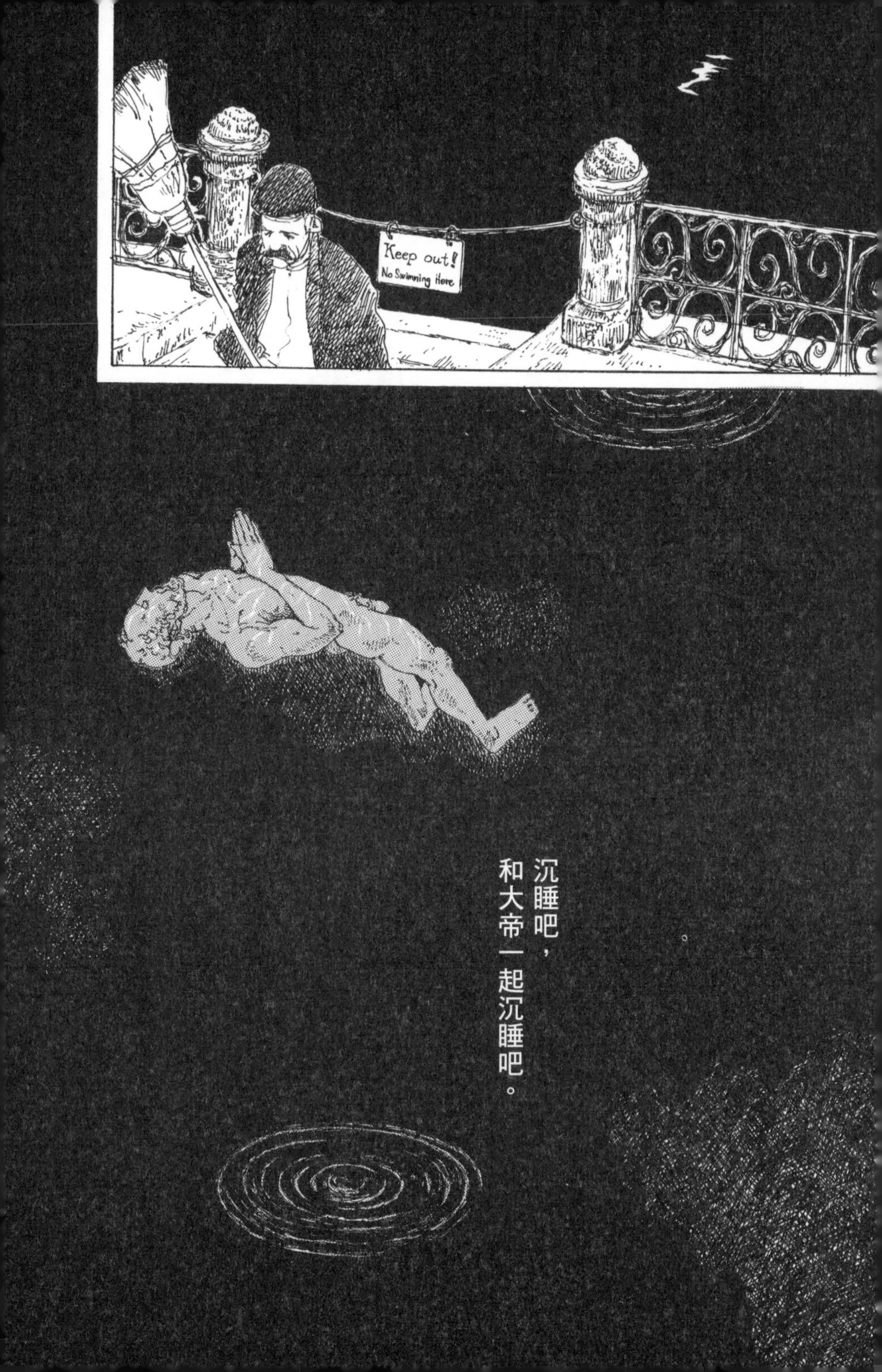
Keep out!
No Swimming Here
沉睡吧，
和大帝一起沉睡吧。

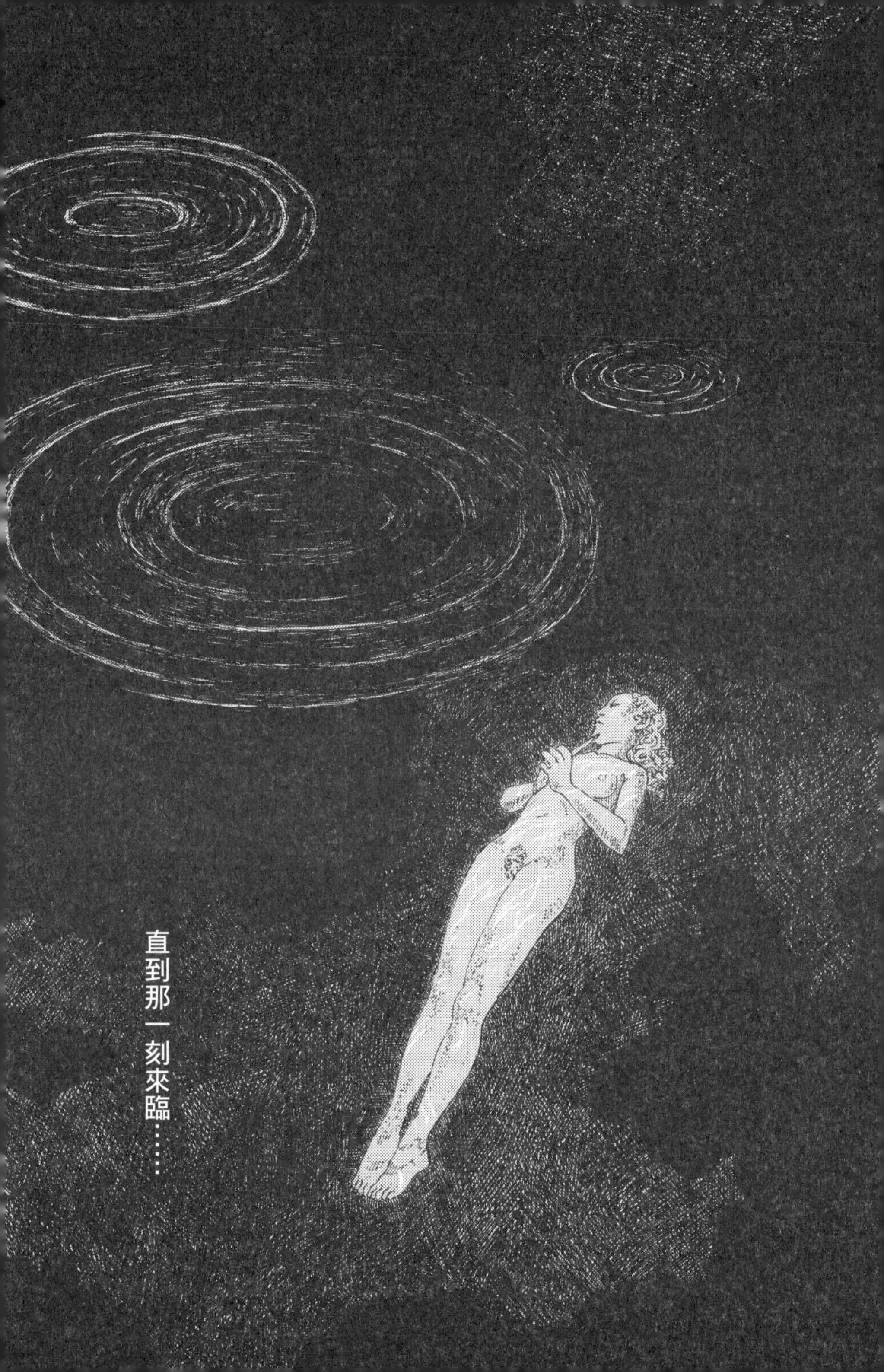
直到那一刻來臨……

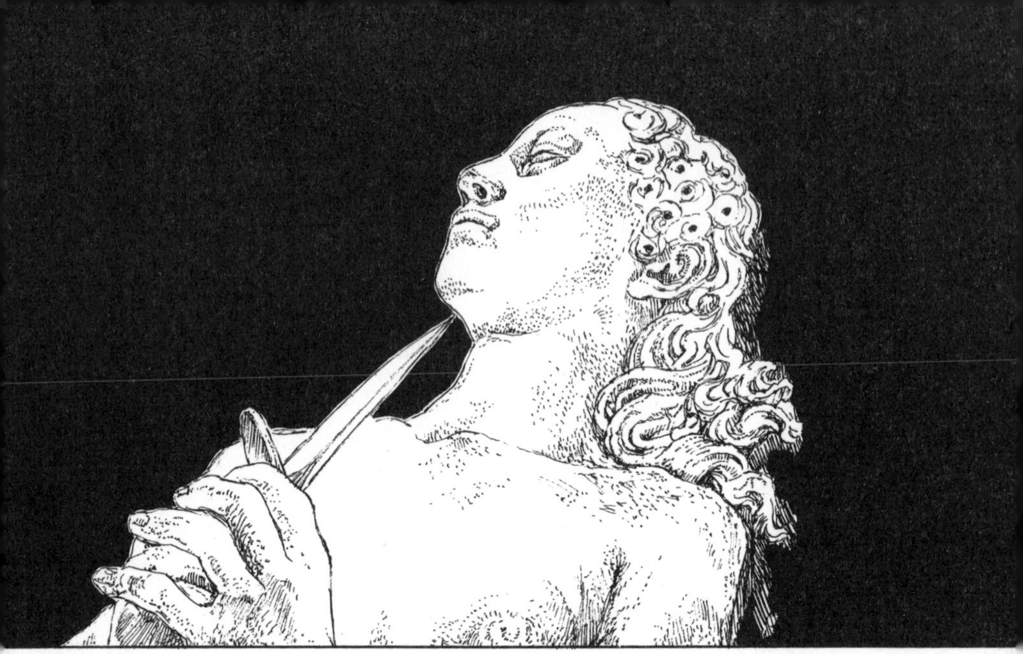

SPINDLE 終

I 26

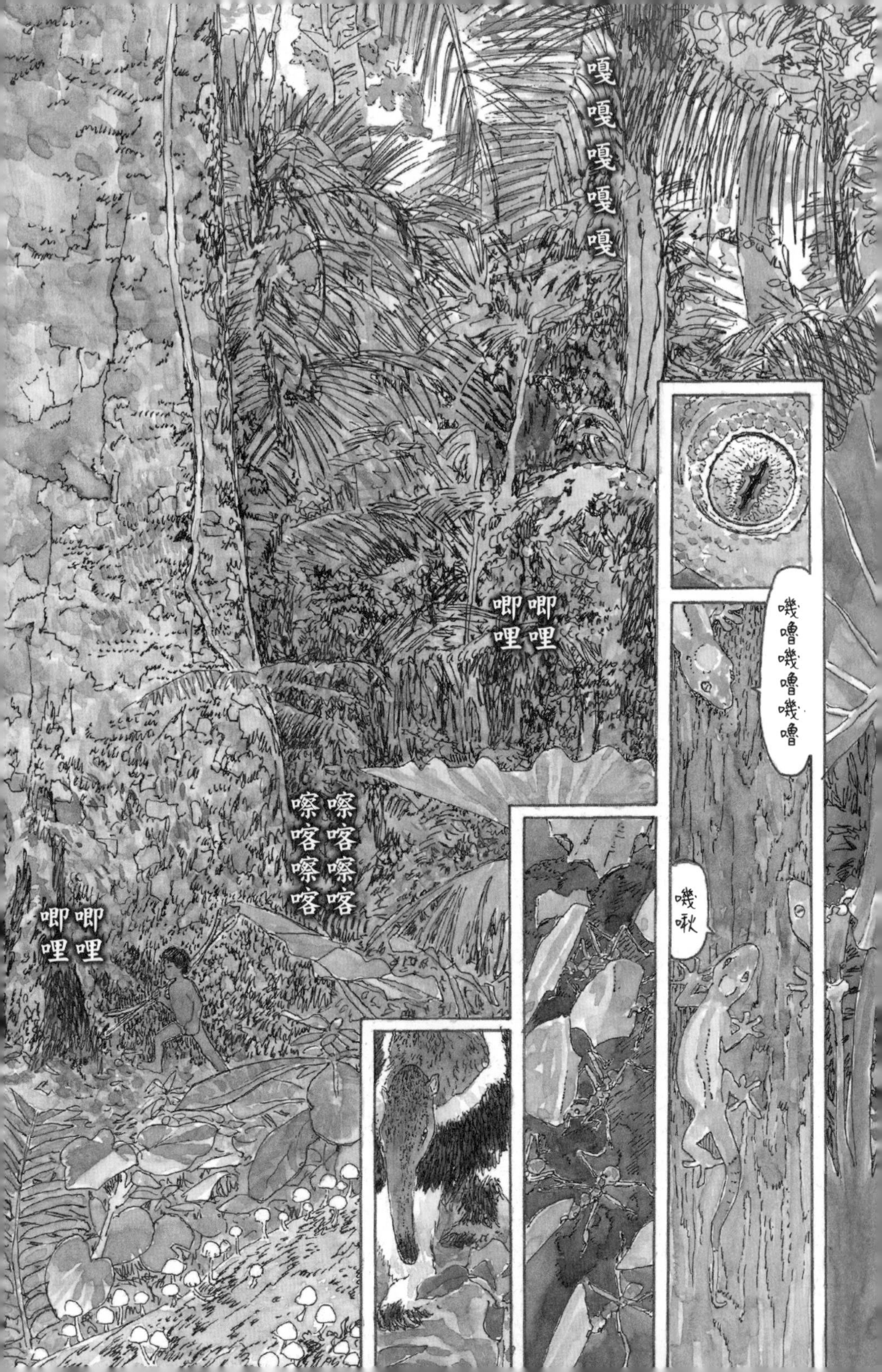
嘎嘎嘎嘎嘎
嘰嚕嘰嚕嘰嚕
嘰啾
唧哩唧哩
嚓喀嚓喀
嚓喀嚓喀
唧哩唧哩

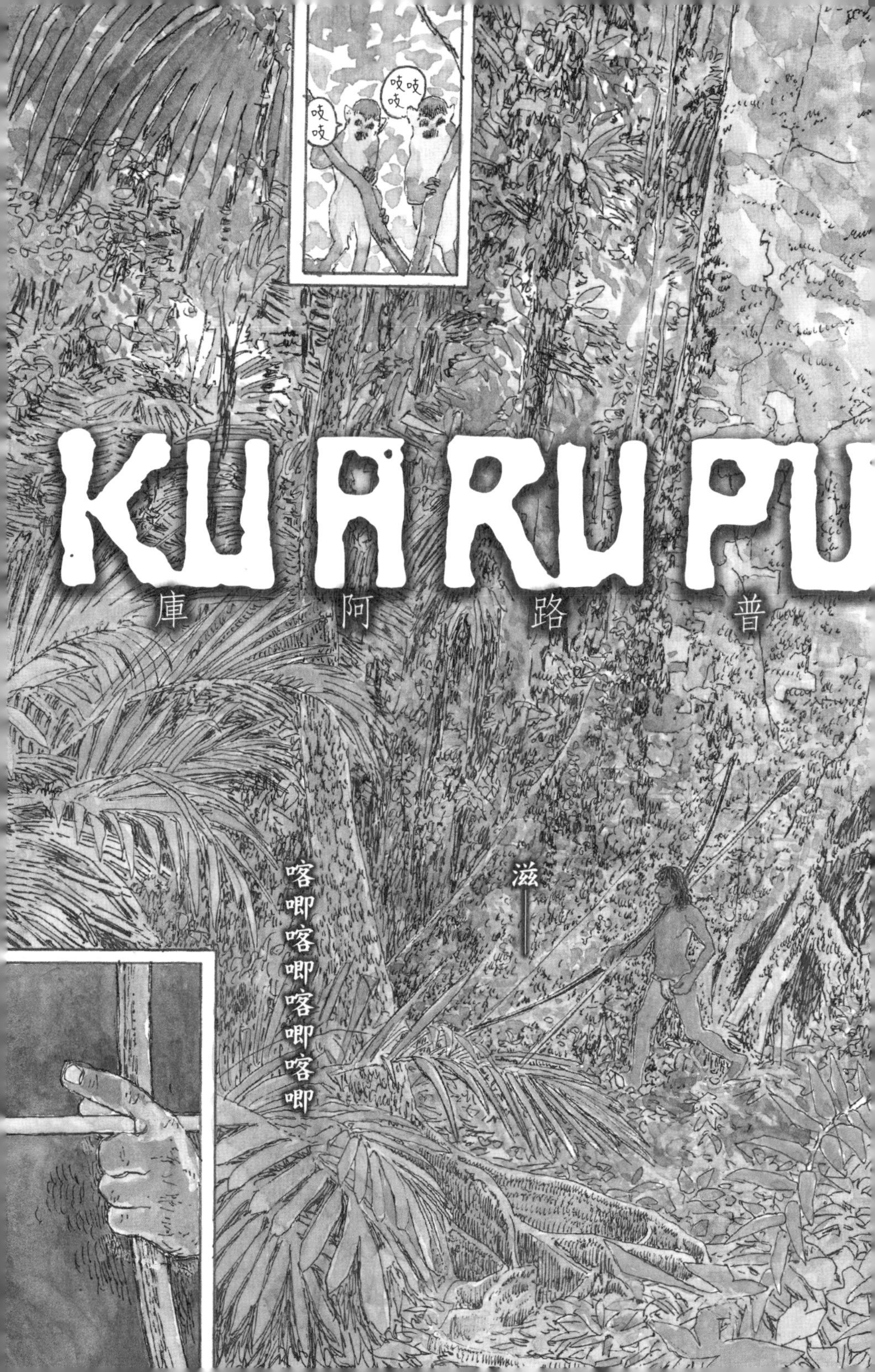

吱吱吱
吱吱
KUARUPU
庫阿路普
喀唧喀唧喀唧喀唧
滋

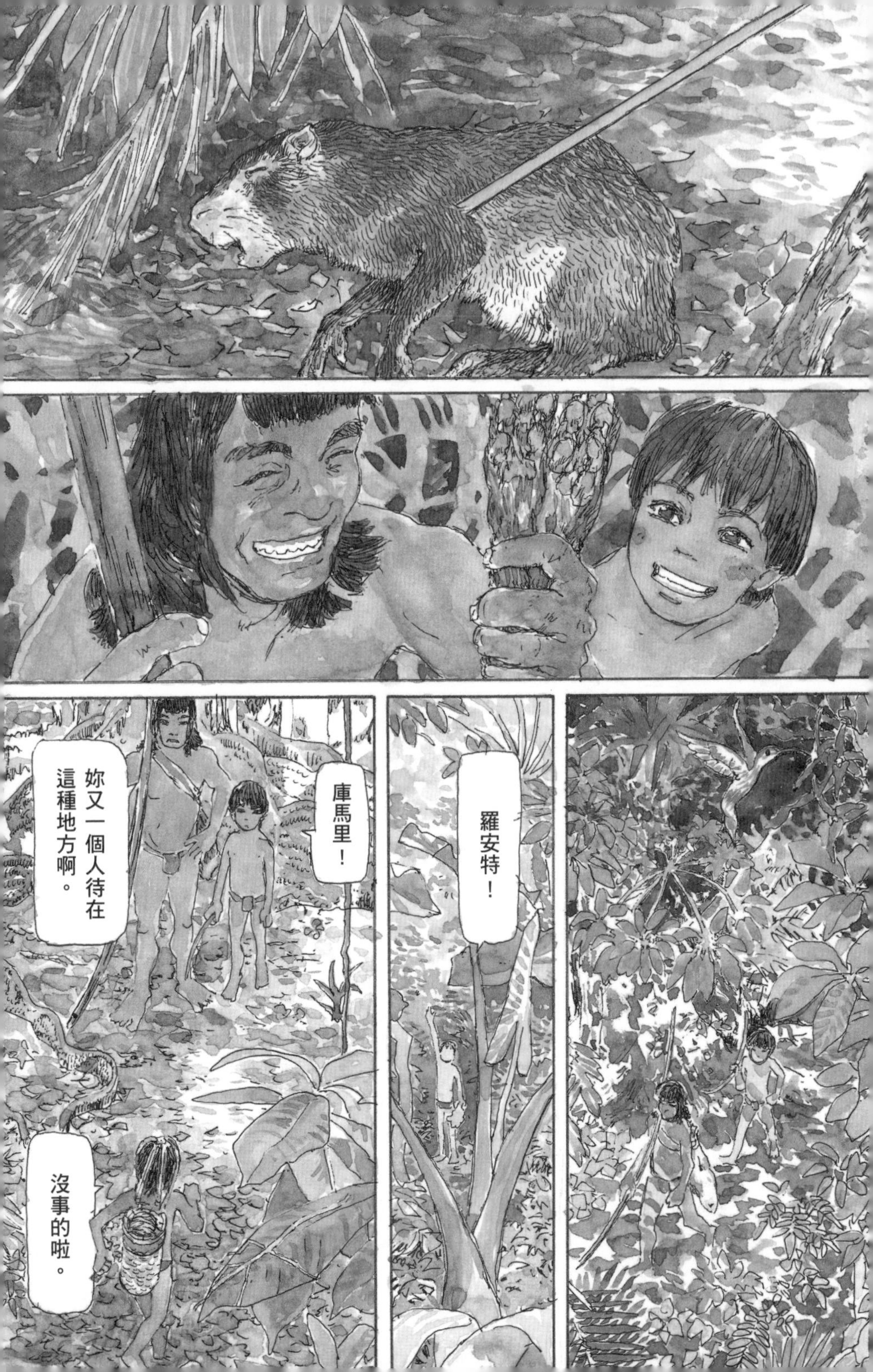
羅安特！
庫馬里！
妳又一個人待在這種地方啊。
沒事的啦。

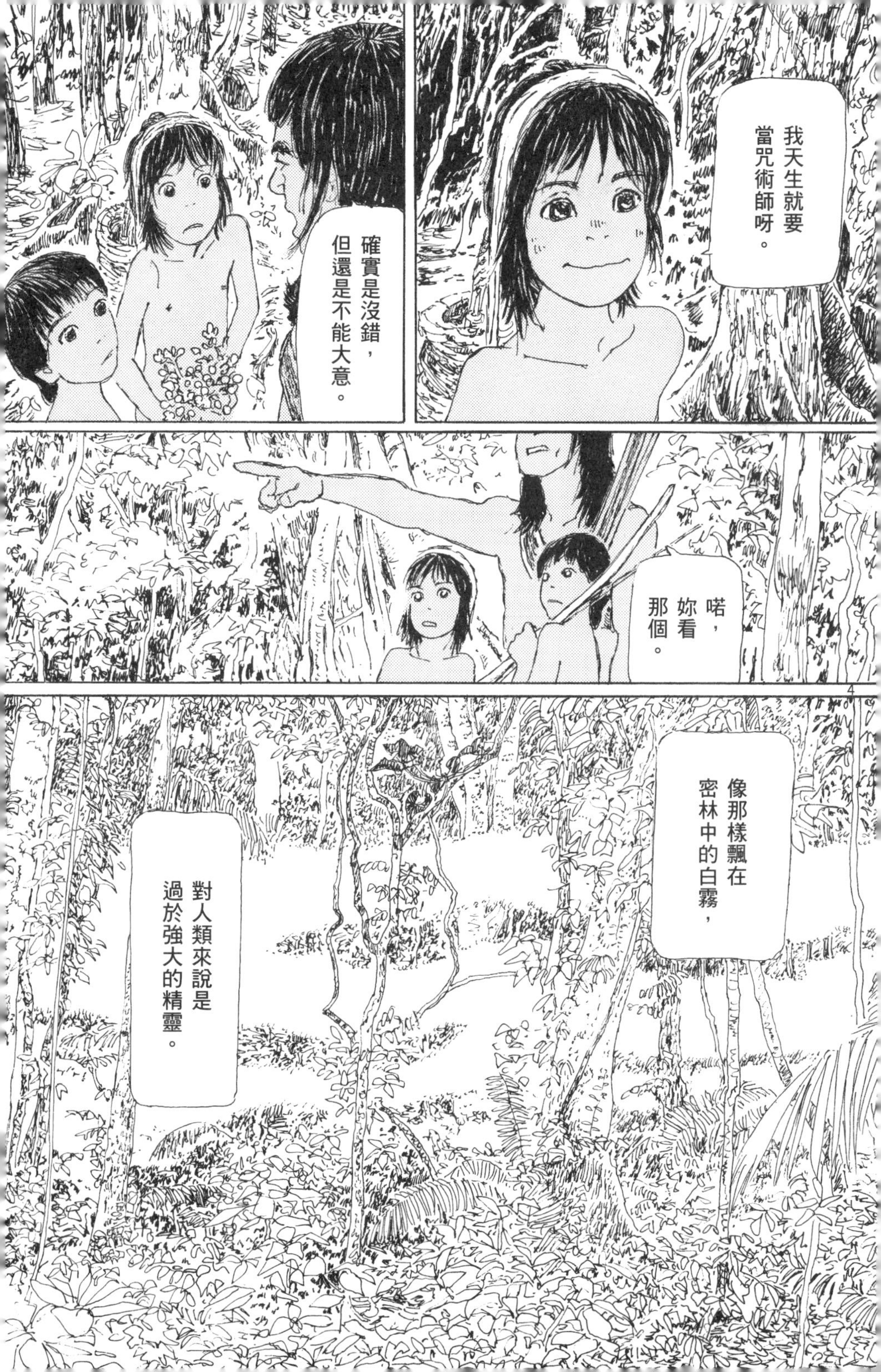
我天生就要當咒術師呀。
確實是沒錯，但還是不能大意。
喏，妳看那個。
4
像那樣飄在密林中的白霧，
對人類來說是過於強大的精靈。

絕對不可以靠近。
嘎。
沒事的啦。
我不會讓你死掉。
我來保護你。
我才要保護妳呢！
你們兩個都是好孩子啊。
出出瓦茲。

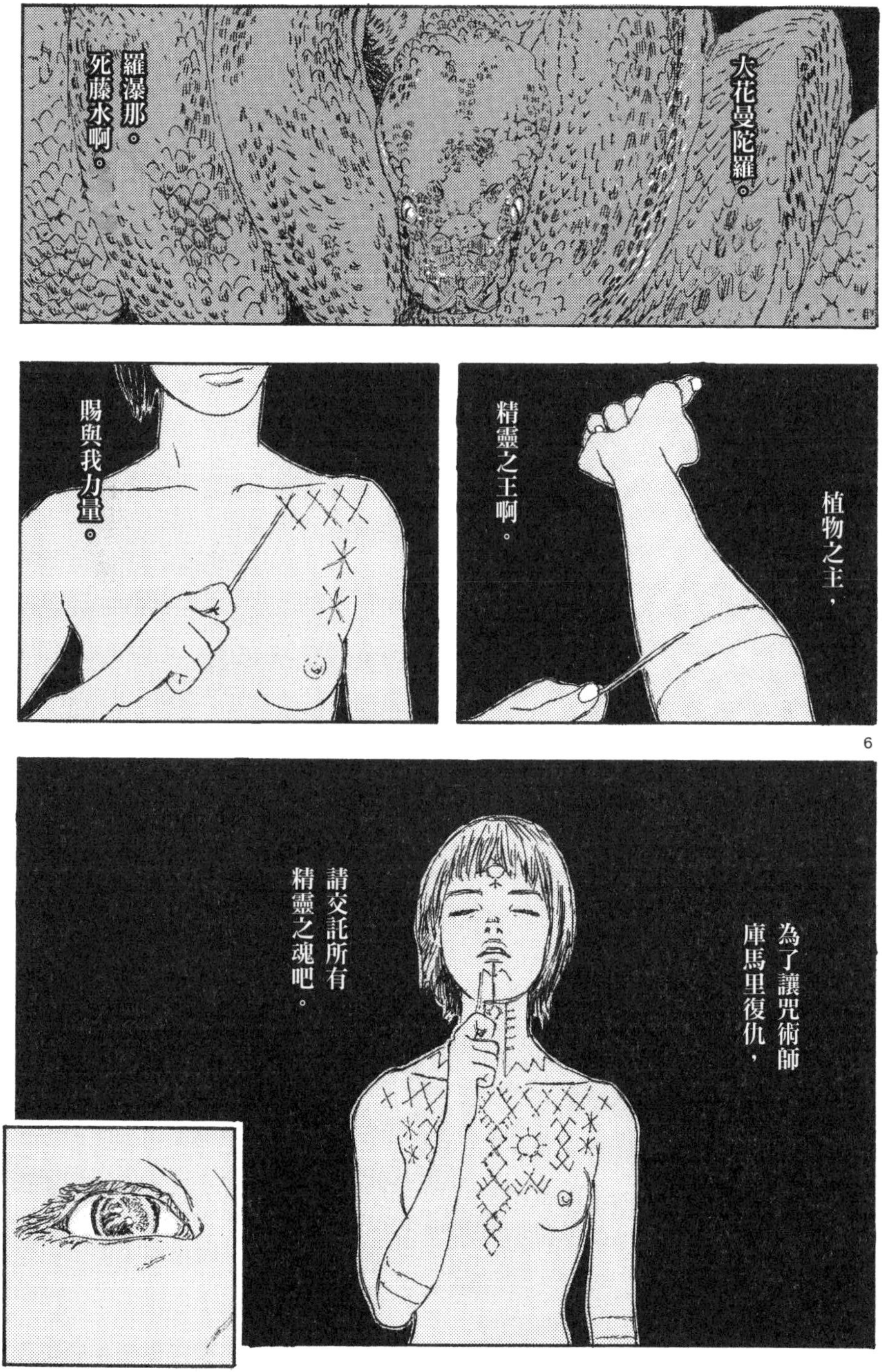
太花曼陀羅。
羅瀑那。
死藤水啊。
植物之主，
精靈之王啊。
賜與我力量。
為了讓咒術師
庫馬里復仇，
請交託所有
精靈之魂吧。

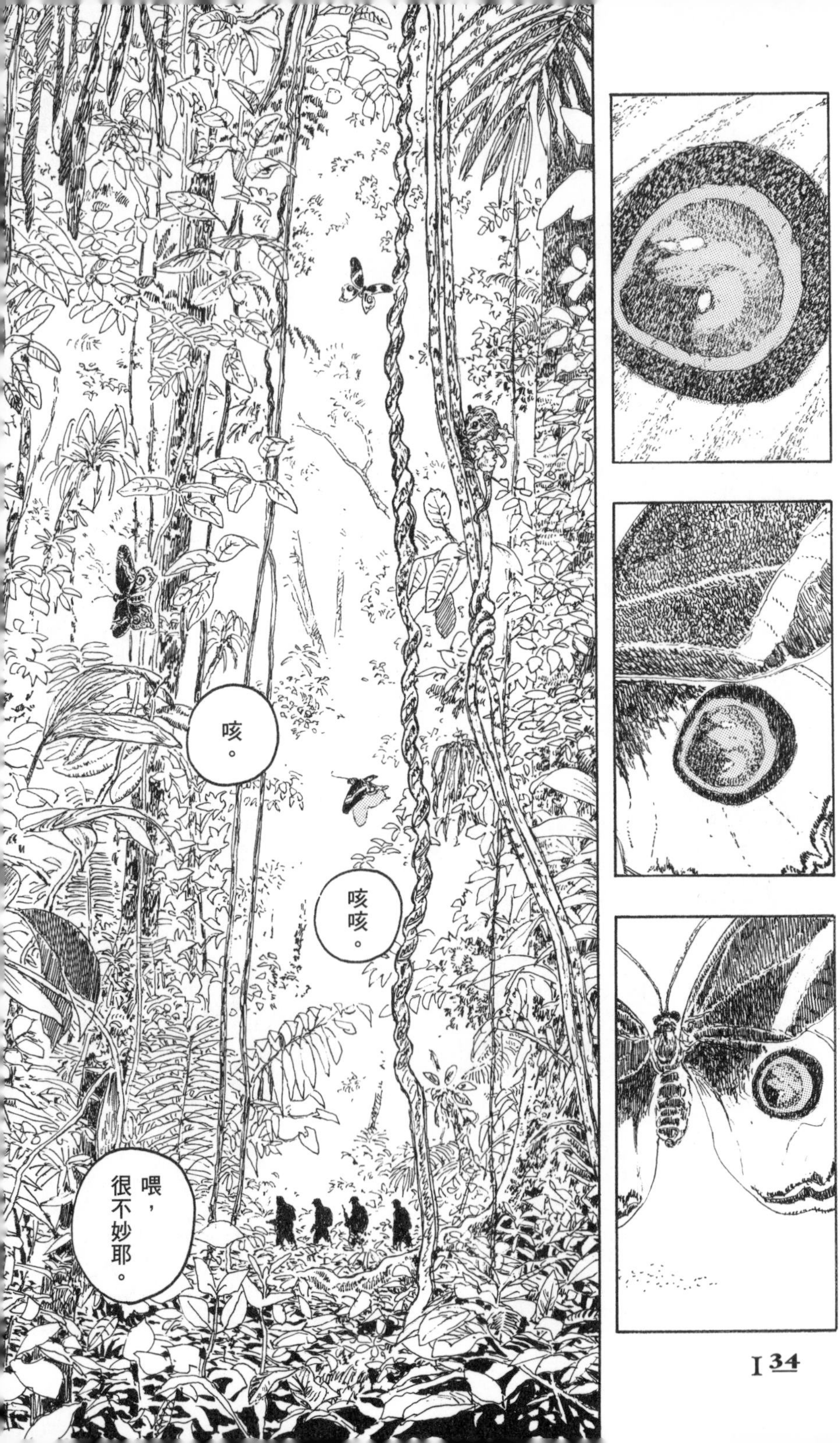
咳。
咳咳。
喂，很不妙耶。

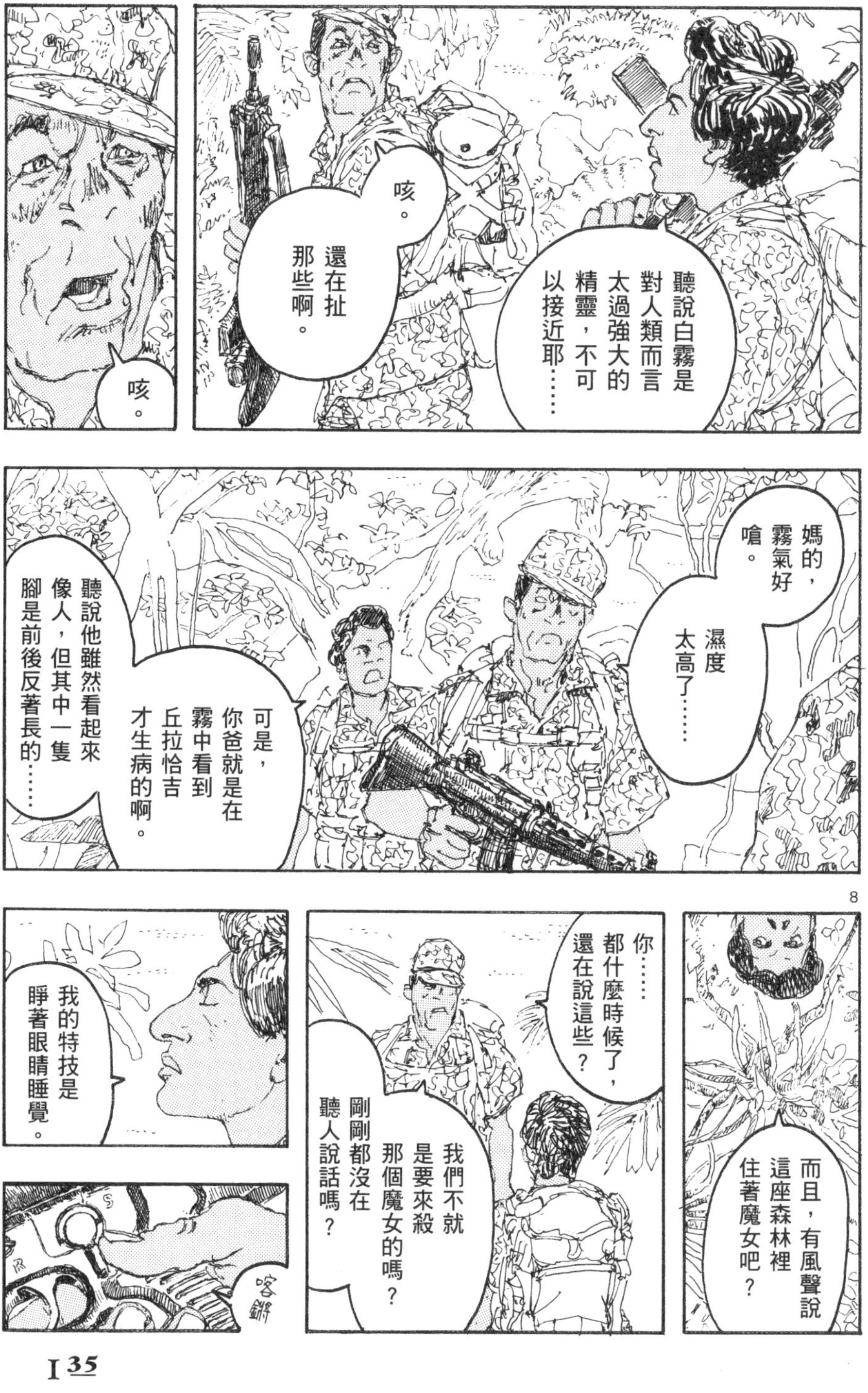
聽說白霧是對人類而言太過強大的精靈，不可以接近耶……
還在扯那些啊。
咳。
咳。
媽的，霧氣好嗆。
濕度太高了……
可是，你爸就是在霧中看到丘拉恰吉才生病的啊。
聽說他雖然看起來像人，但其中一隻腳是前後反著長的……
8
而且，有風聲說這座森林裡住著魔女吧？
你……都什麼時候了，還在說這些？
我們不就是要來殺那個魔女的嗎？
剛剛都沒在聽人說話嗎？
我的特技是睜著眼睛睡覺。
喀鏘

!
怎麼啦？
有腳印。
還很新。
喀鏘
腳印？
喀鏘
咳
……
人……和野獸？

10

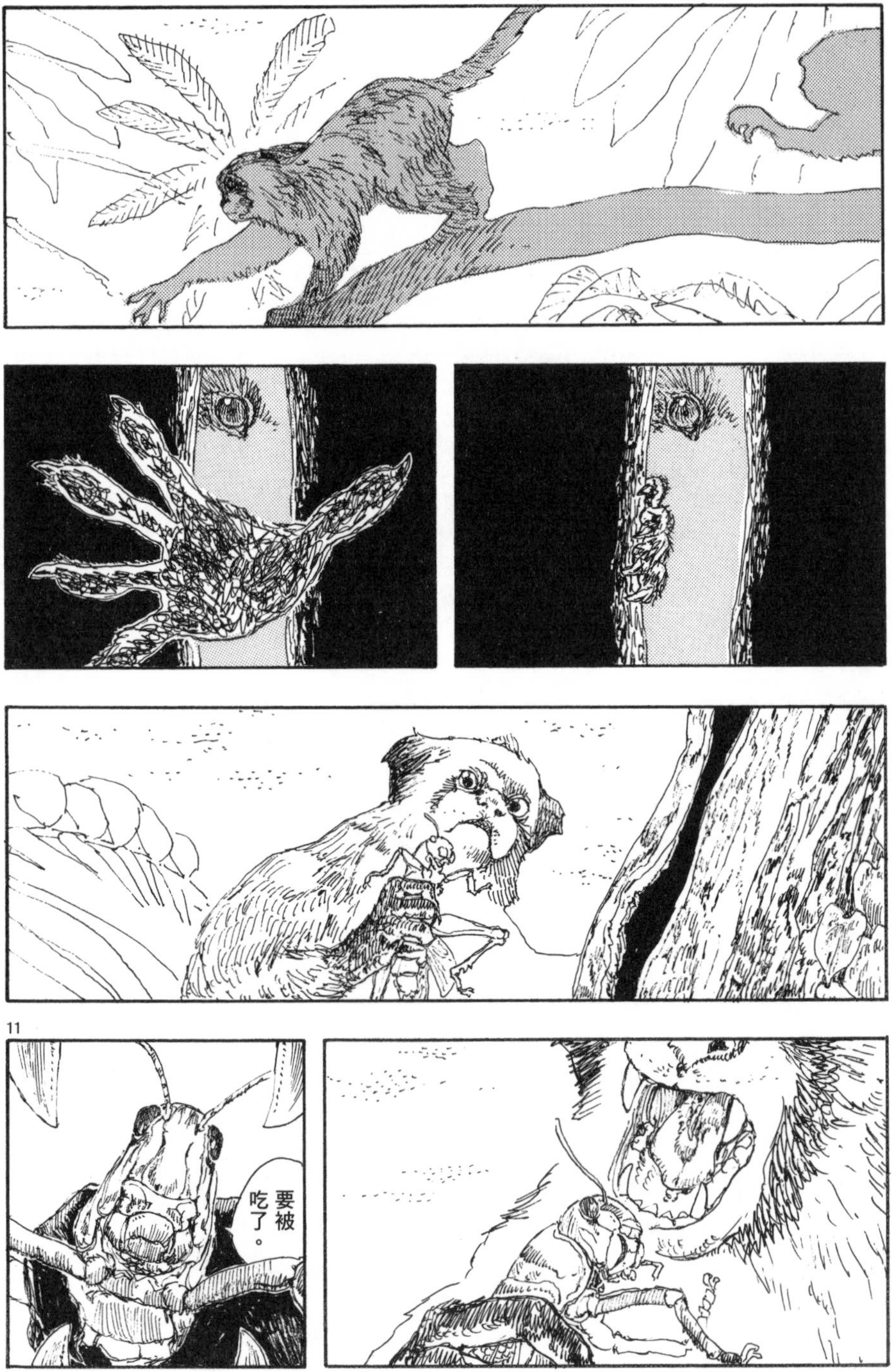
要被吃了。

嗚。
咳！
嗯啊。
！
安靜點！
咳。
沒辦法啊。
就說霧很嗆嘛！
喂，我被水蛭咬了。
能幫我拿掉嗎？
啊？
喔。
好大啊。
麻煩了。
等一下，我先……
嚓。
嚓。
嚓。
媽的，霧氣的水滴……
簡直像雨一樣……
嚓。
嚓。
嚓。

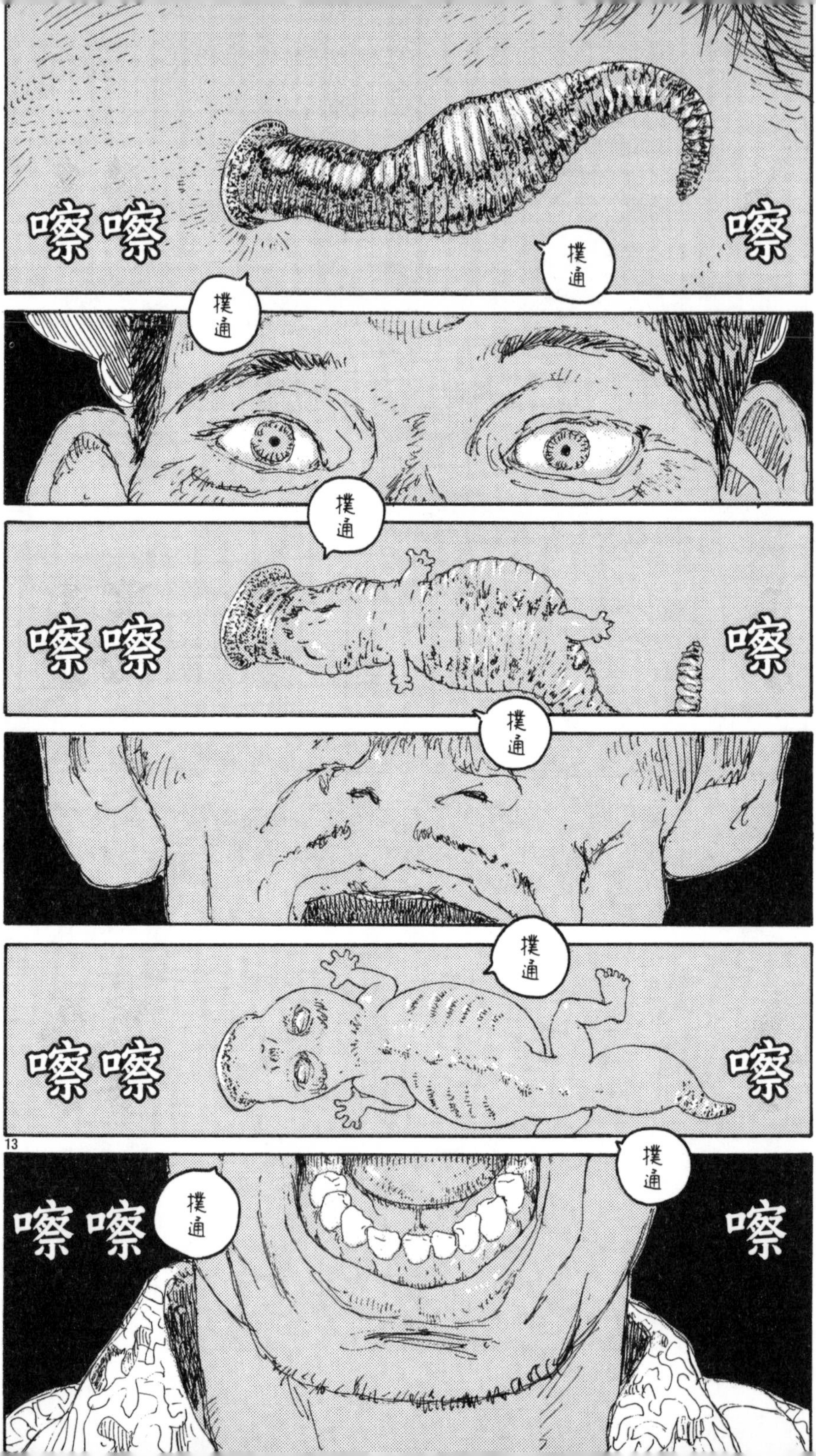

13

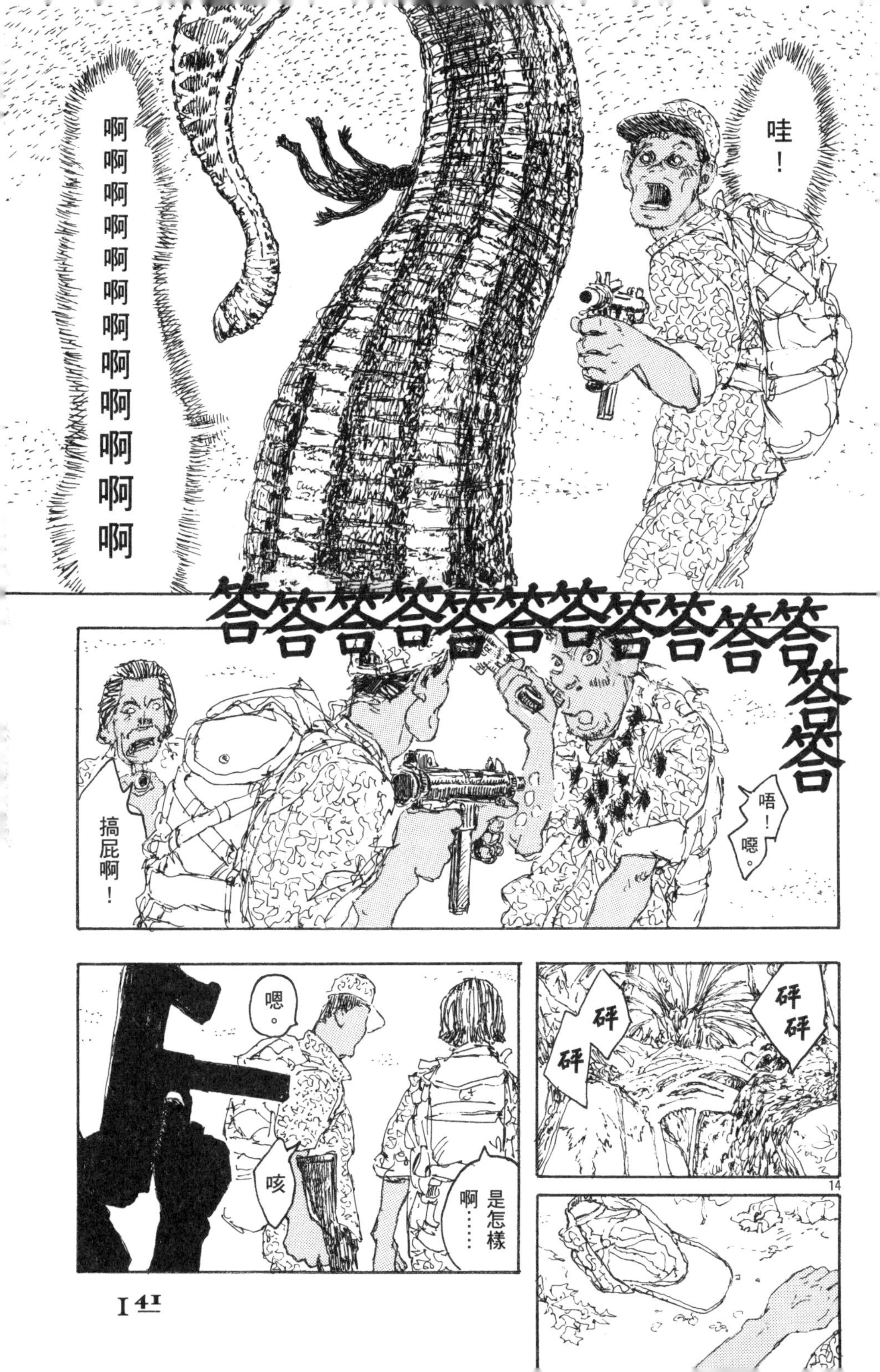
哇！
啊啊啊啊啊啊啊啊啊啊啊啊
答答答答答答答答答答答答答答
唔！嗯。
搞屁啊！
砰砰
砰砰
嗯。
是怎樣啊……
咳
14

咳咳
咳咳
咳咳
咳咳
要被
吃了。
誰要被
吃啊……

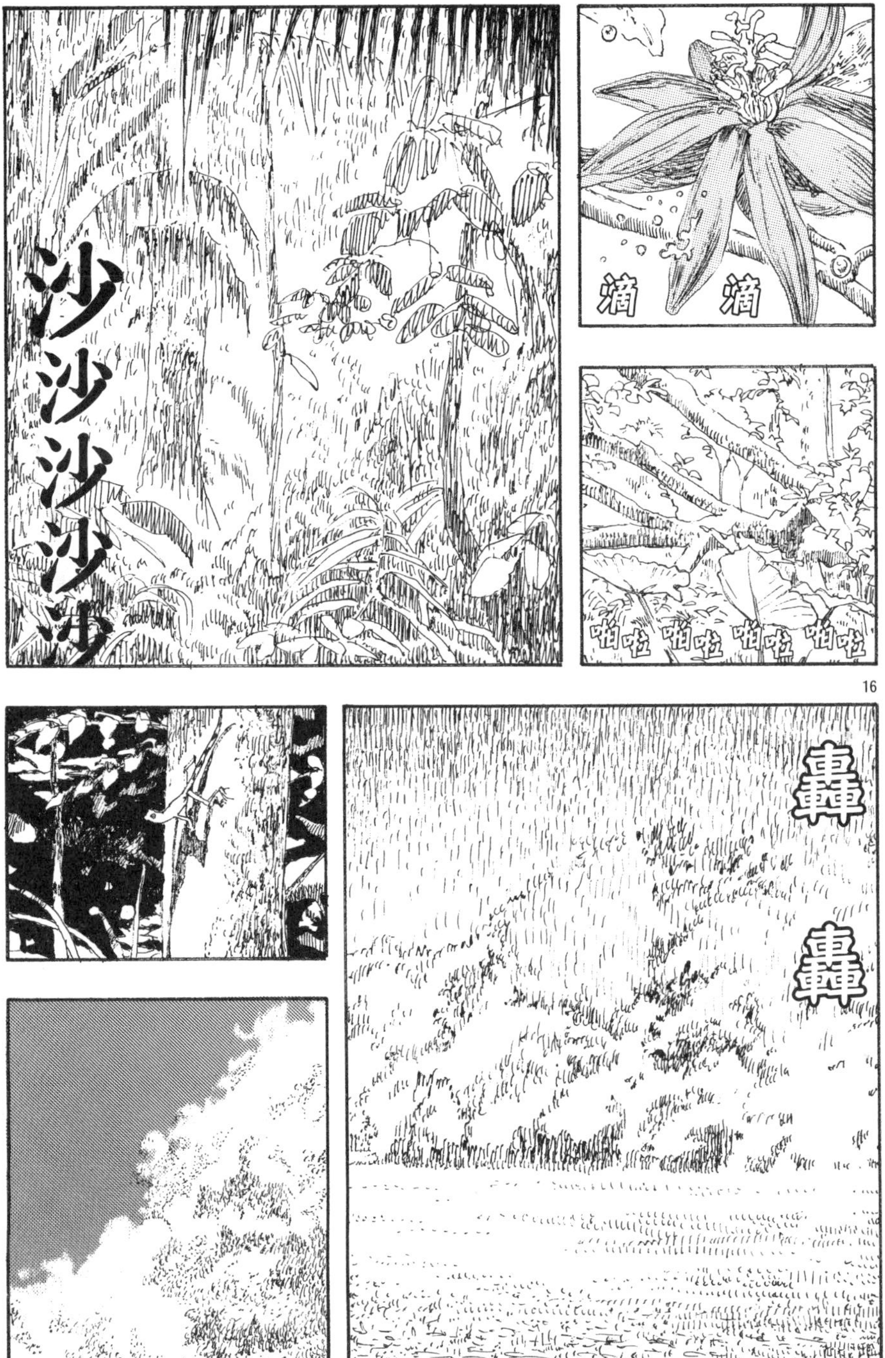
滴
滴
啪啦
啪啦
啪啦
啪啦
沙沙沙沙沙
轟
轟

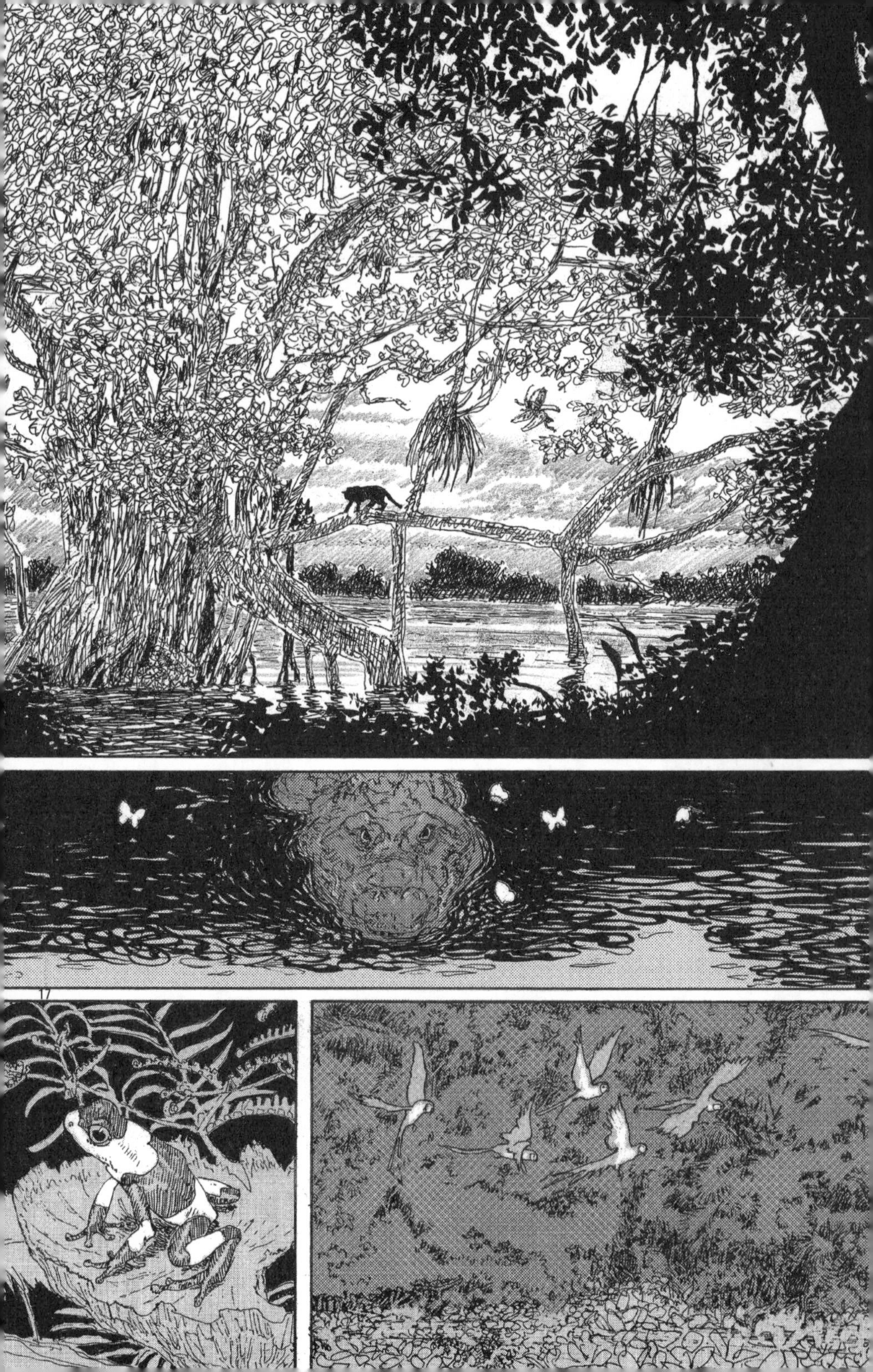

也難怪我這種貨色的結界會被打破。
沒想到你會背叛我們呢。
「咒術師之父」帕卜洛。

……這不叫背叛。
白人的力量很強大。
我們要存活下來，就只剩一條路可走了。那就是開墾森林，接納白人的文明。
不如說你才是叛徒啊，羅安特。
你要是持續進行反對運動，死者也會繼續增加。
你這叫偷換問題。
可是，現實就是如此。

我們也不是硬要和白人起衝突。
白人之中也有懷著各種想法的人。
我們應該有一起生存下去的路可走吧。
然而，現在在這片森林中進行的活動，就只是破壞罷了。
只是滿足醜惡慾望、無從補救的犯罪行為。
我的做法沒錯。
四處去殺害想要坐下來談的人，也是正確的做法嗎？
只有這個辦法了。
森林的精靈是那麼說的嗎？

這裡，
以後就不是森林了。
羅安特……
不要害怕。
我們只是要脫離小小的靈魂，
重生為巨大的靈魂而已啊。
21
大家都會來迎接我們的呀。
森林的精靈是那麼說的嗎？

好啦，接下來她會怎麼出招呢？
你說什麼？
我指的是咒術師庫馬里啊。
那女人不可能坐視自己的愛人被殺的。
咿嘻嘻
唧唧唧
唧哩哩哩
唧哩哩哩哩

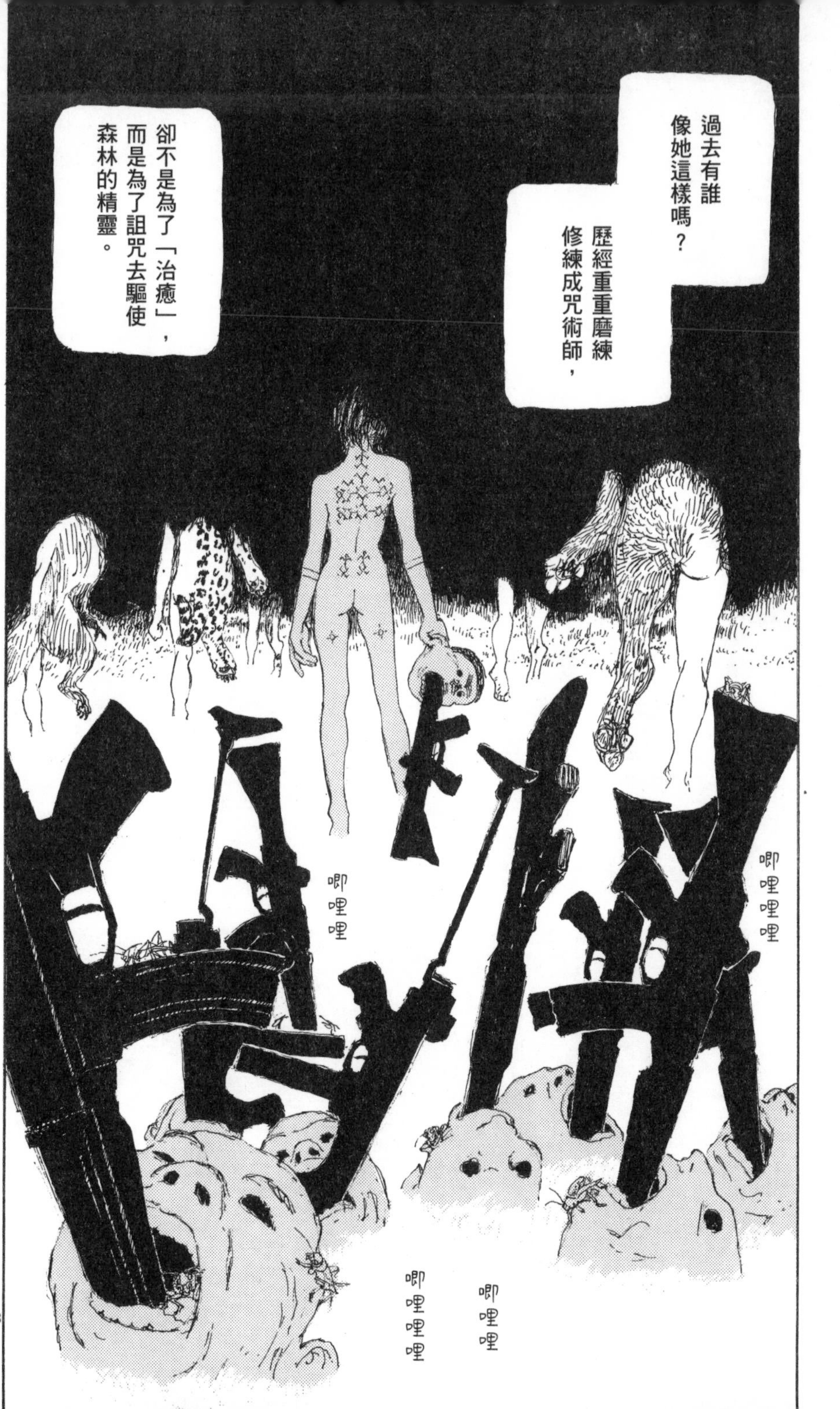
過去有誰像她這樣嗎？
歷經重重磨練修練成咒術師，
卻不是為了「治癒」，而是為了詛咒去驅使森林的精靈。
唧哩哩哩
唧哩哩
唧哩哩
唧哩哩哩

唧哩哩哩哩哩

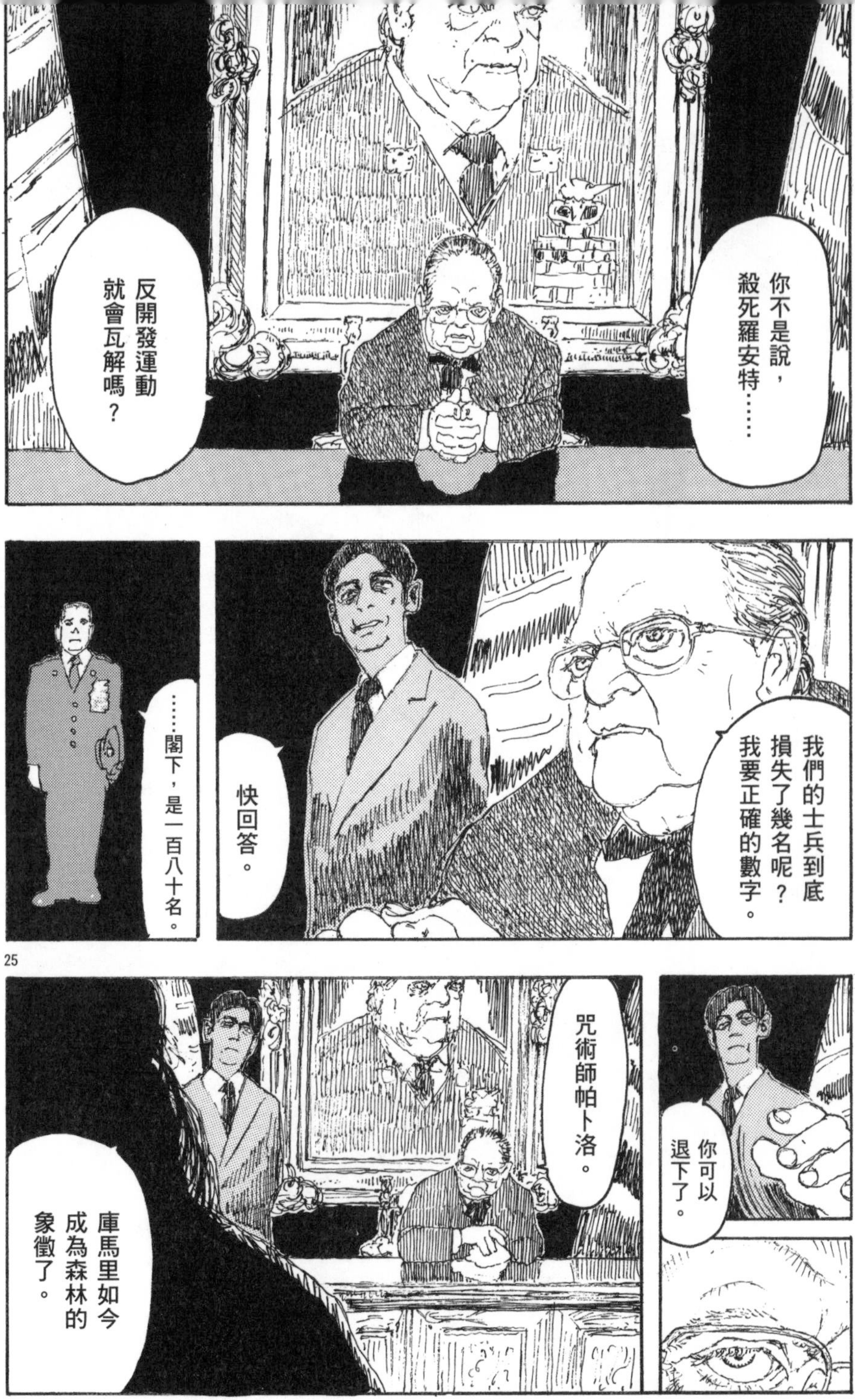
你不是說，殺死羅安特……
反開發運動就會瓦解嗎？
我們的士兵到底損失了幾名呢？我要正確的數字。
快回答。
……閣下，是一百八十名。
你可以退下了。
咒術師帕卜洛。
庫馬里如今成為森林的象徵了。
25

派越多士兵去向庫馬里報仇，
集結在庫馬里名下的部族就會越團結吧。
對他們而言，庫馬里已經成為森林之靈本身了。
該怎麼辦？
把反對派部族的年輕人訓練成士兵，送到庫馬里那裡去。
親友被殺害的話，他們的團結就會瓦解。
那只會讓逃兵增加。
風聲要是傳到國外NGO或媒體那裡就麻煩了。
那麼，就利用外國的力量吧。

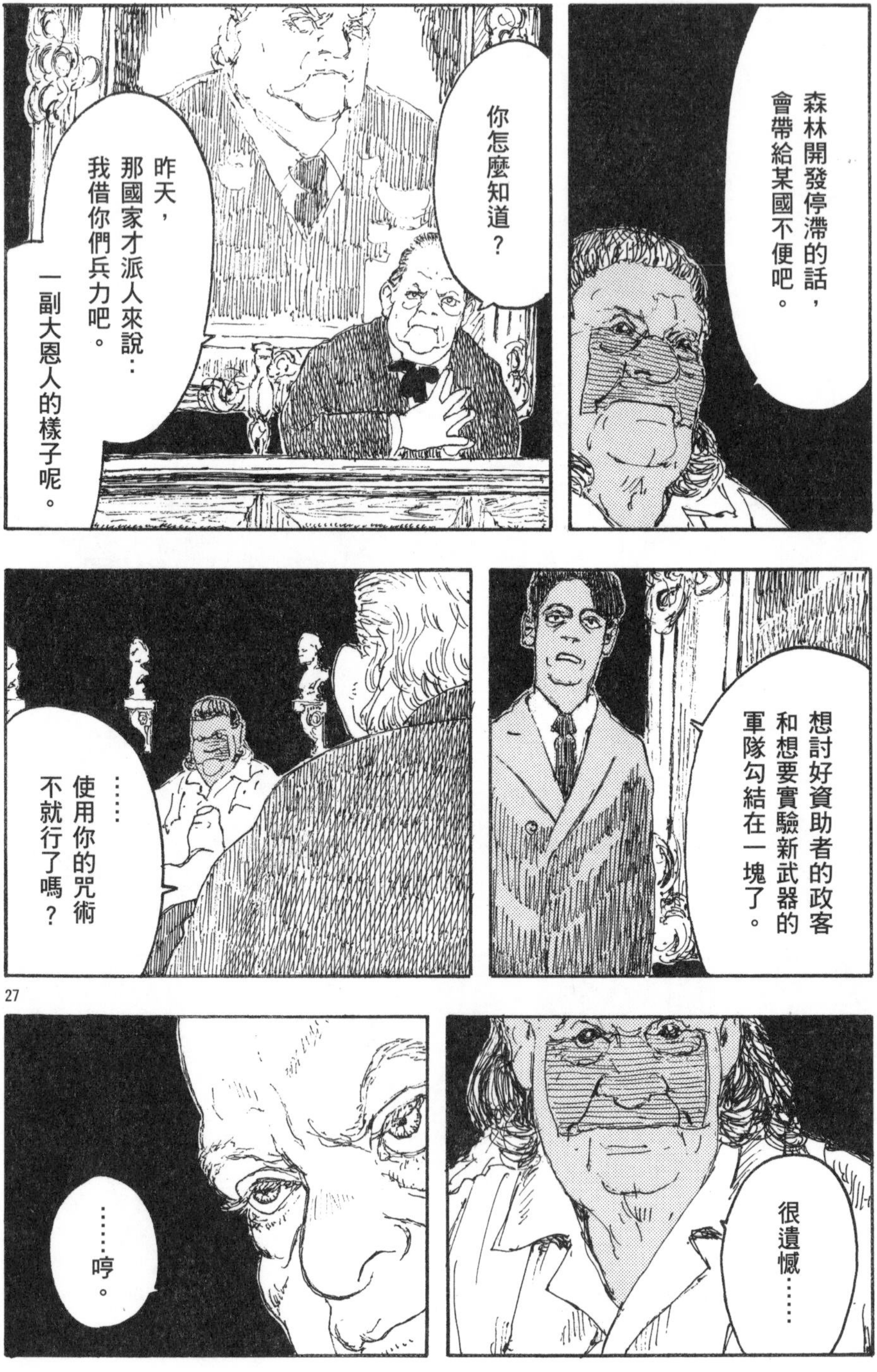
森林開發停滯的話，會帶給某國不便吧。
你怎麼知道？
昨天，那國家才派人來說…我借你們兵力吧。一副大恩人的樣子呢。
想討好資助者的政客和想要實驗新武器的軍隊勾結在一塊了。
……使用你的咒術不就行了嗎？
很遺憾……
……哼。

27

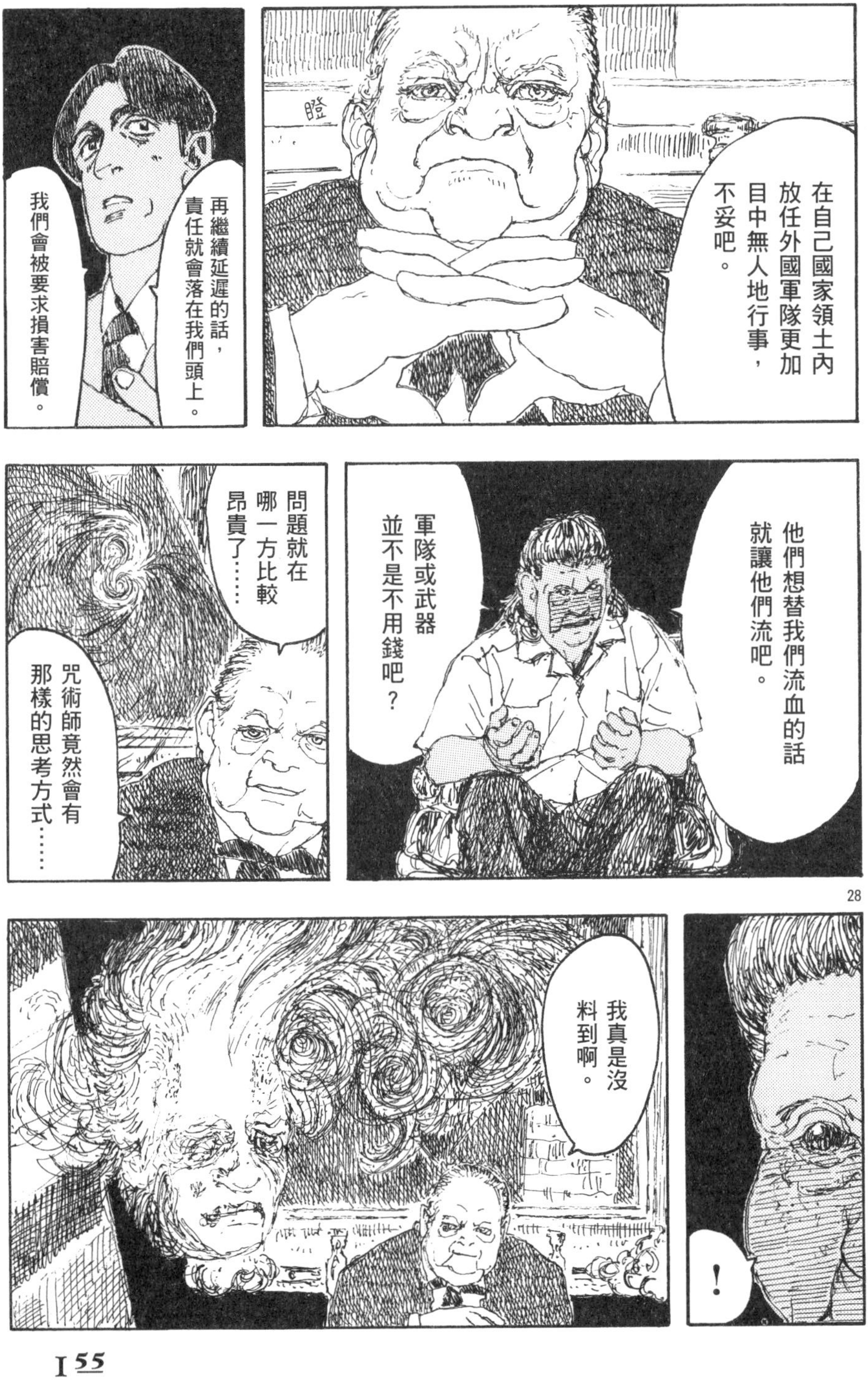
在自己國家領土內
放任外國軍隊更加
目中無人地行事，
不妥吧。
瞪
再繼續延遲的話，
責任就會落在我們頭上。
我們會被要求損害賠償。
他們想替我們流血的話
就讓他們流吧。
軍隊或武器
並不是不用錢吧？
問題就在
哪一方比較
昂貴了……
咒術師竟然會有
那樣的思考方式……
我真是沒
料到啊。
！
28

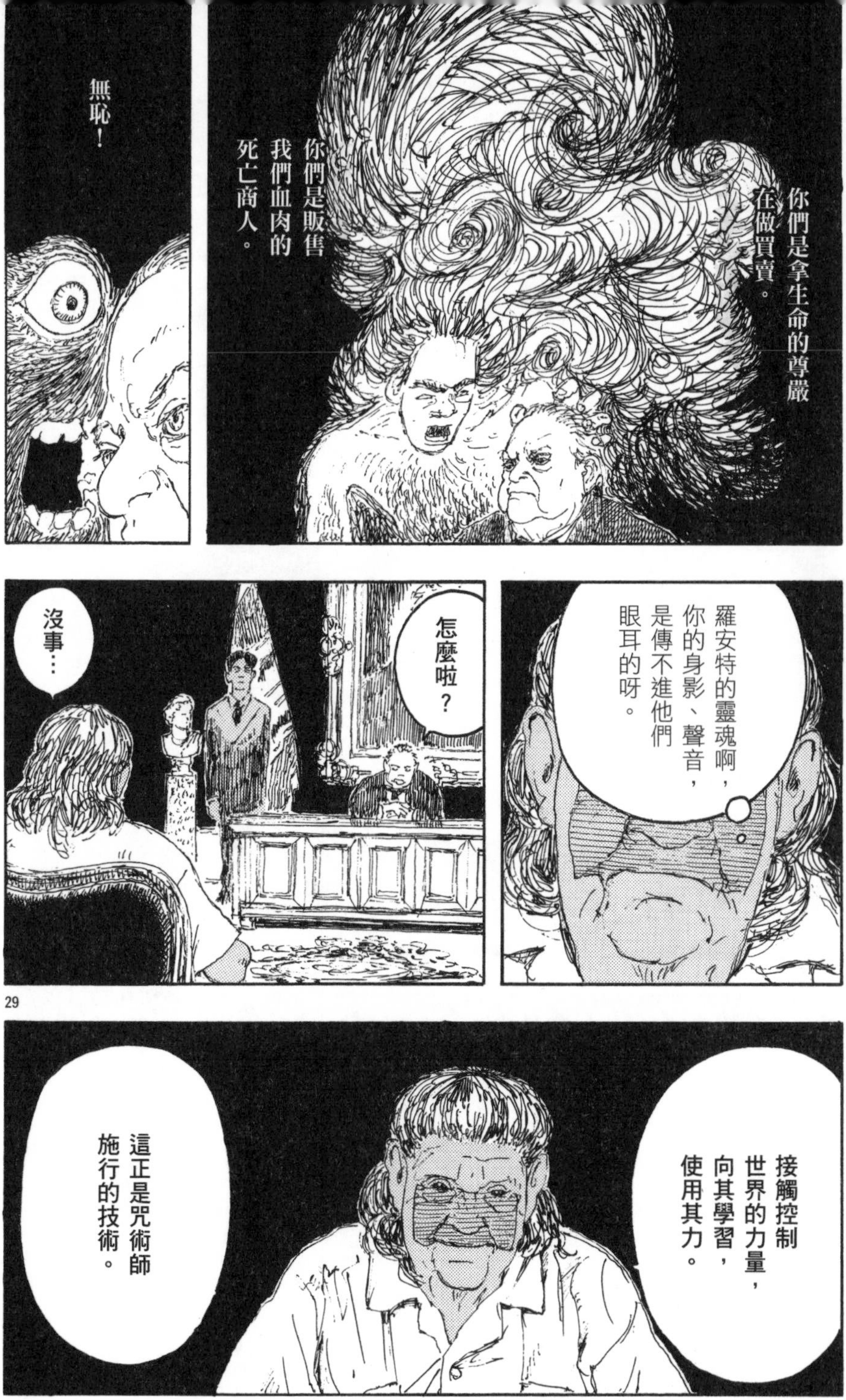
你們是拿生命的尊嚴在做買賣。
你們是販售我們血肉的死亡商人。
無恥！
羅安特的靈魂啊，你的身影、聲音，是傳不進他們眼耳的呀。
怎麼啦？
沒事…
接觸控制世界的力量，向其學習，使用其力。
這正是咒術師施行的技術。

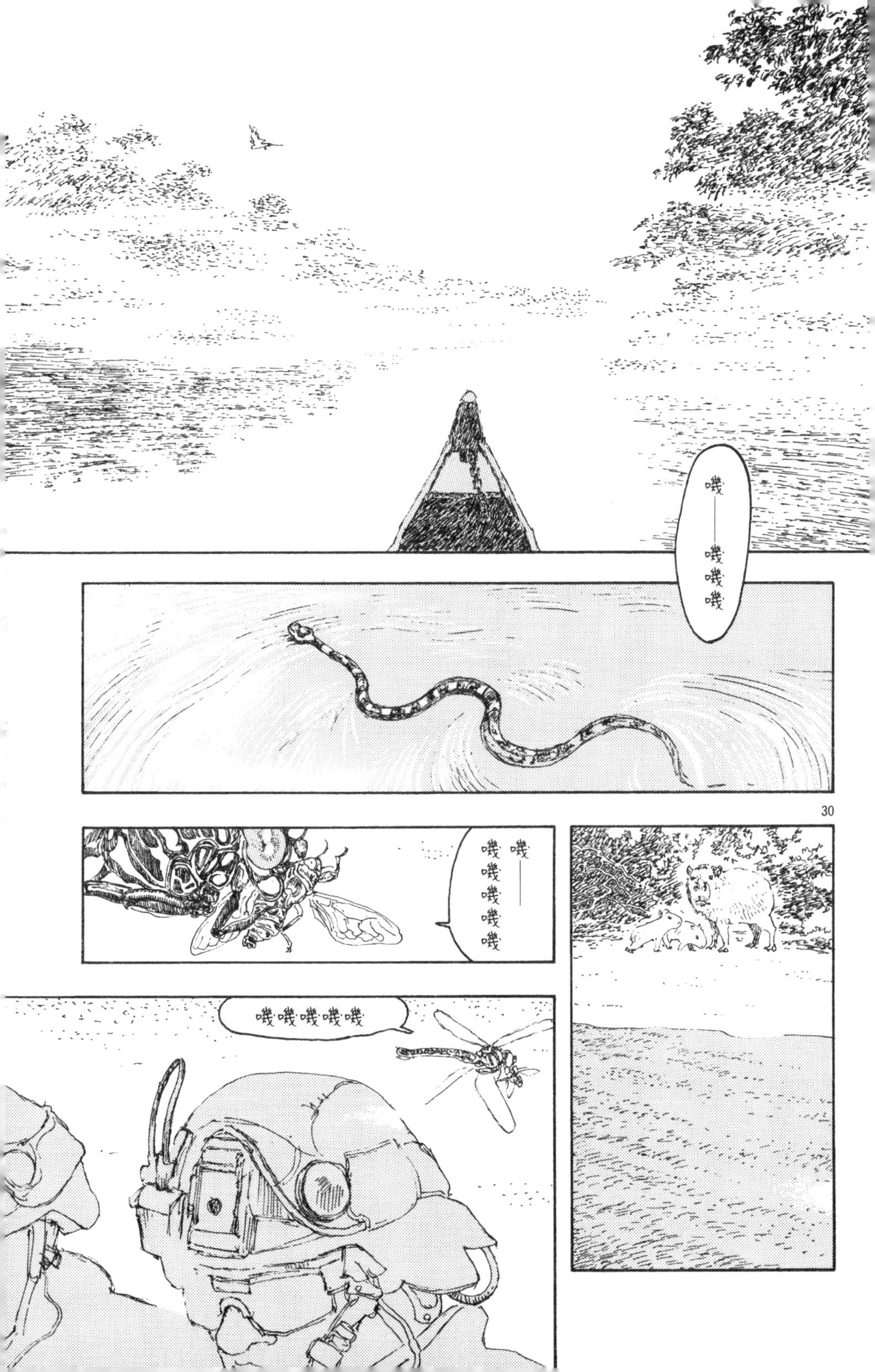
嘰——嘰嘰嘰
嘰——嘰嘰嘰嘰嘰
嘰嘰嘰嘰嘰

嘰嘰嘰……
庫馬里固守著「精靈之家」。
31
「精靈之家」是咒術師最後的手段。
咒術師會轉變自己的體味，散發出的味道對精靈而言就像蜜香。

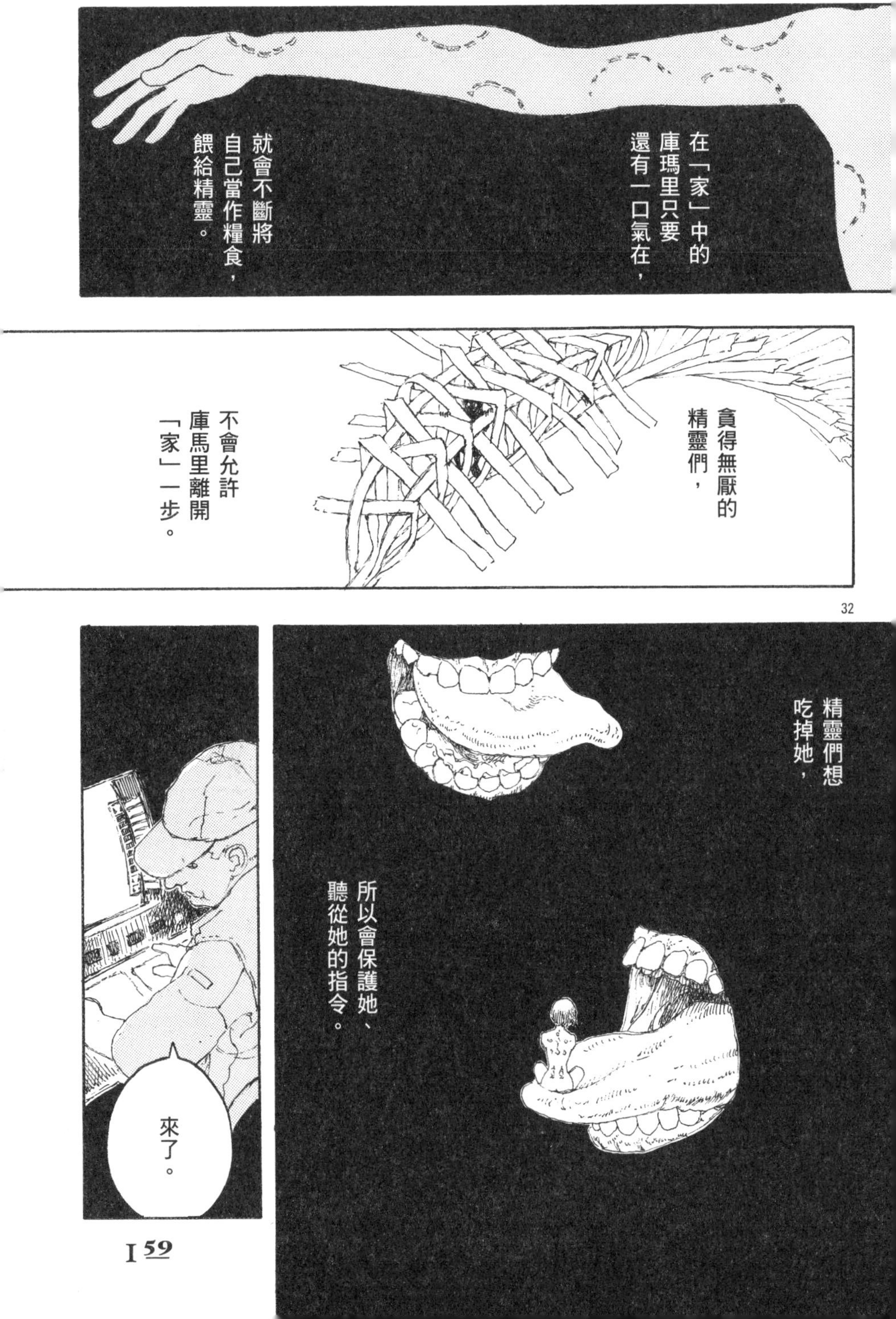
在「家」中的
庫瑪里只要
還有一口氣在，
就會不斷將
自己當作糧食，
餵給精靈。
貪得無厭的
精靈們，
不會允許
庫瑪里離開
「家」一步。
精靈們想
吃掉她，
所以會保護她、
聽從她的指令。
來了。

這是作戰區域的衛星照片。
「精靈之家」是以偉大樹木之靈為中心的結界。
能使用的樹木有限。
……對。
她就在這顆巨大的盧普娜樹下方。

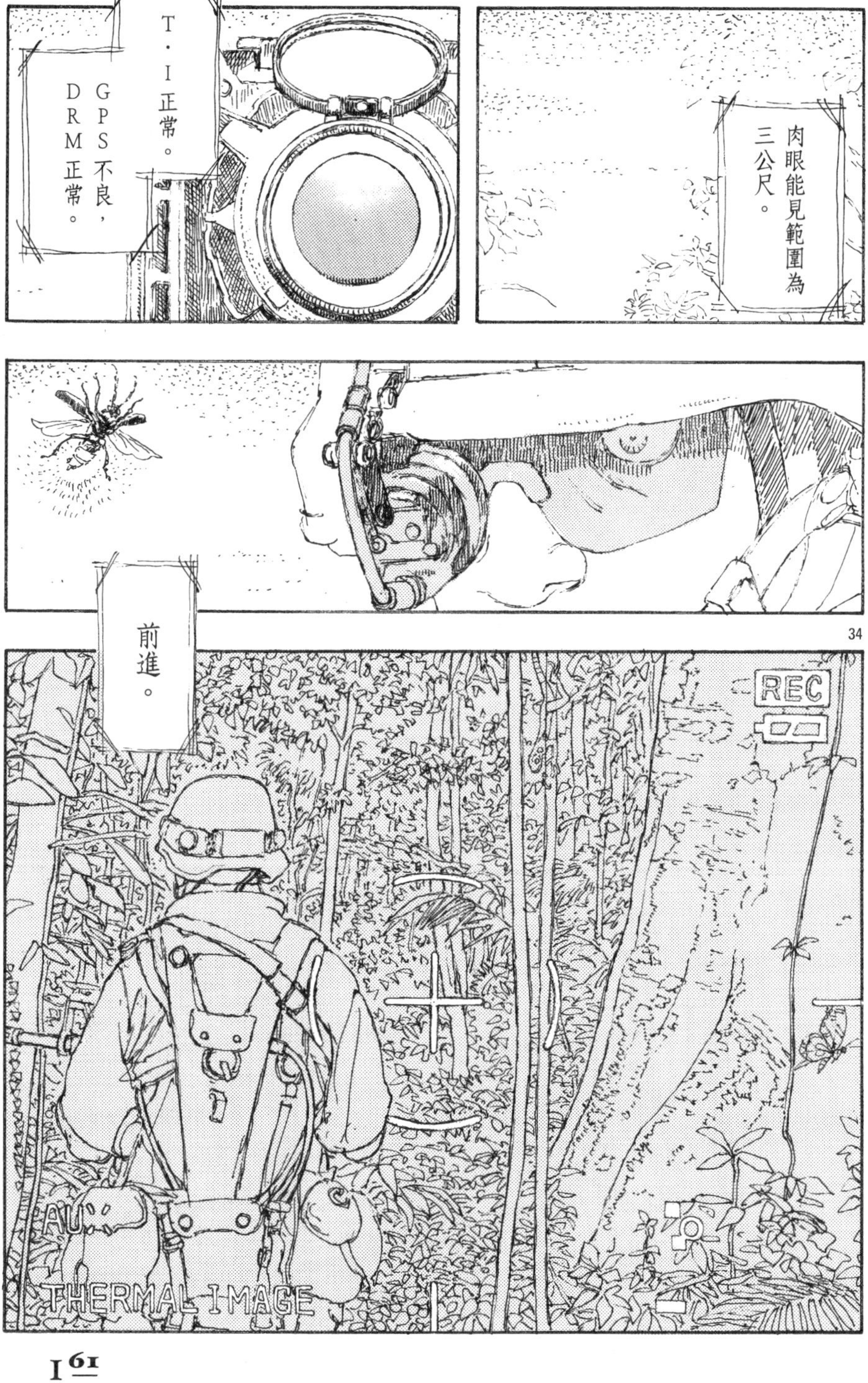
肉眼能見範圍為三公尺。
T・I正常。
GPS不良，DRM正常。
前進。
REC
AU
THERMAL IMAGE

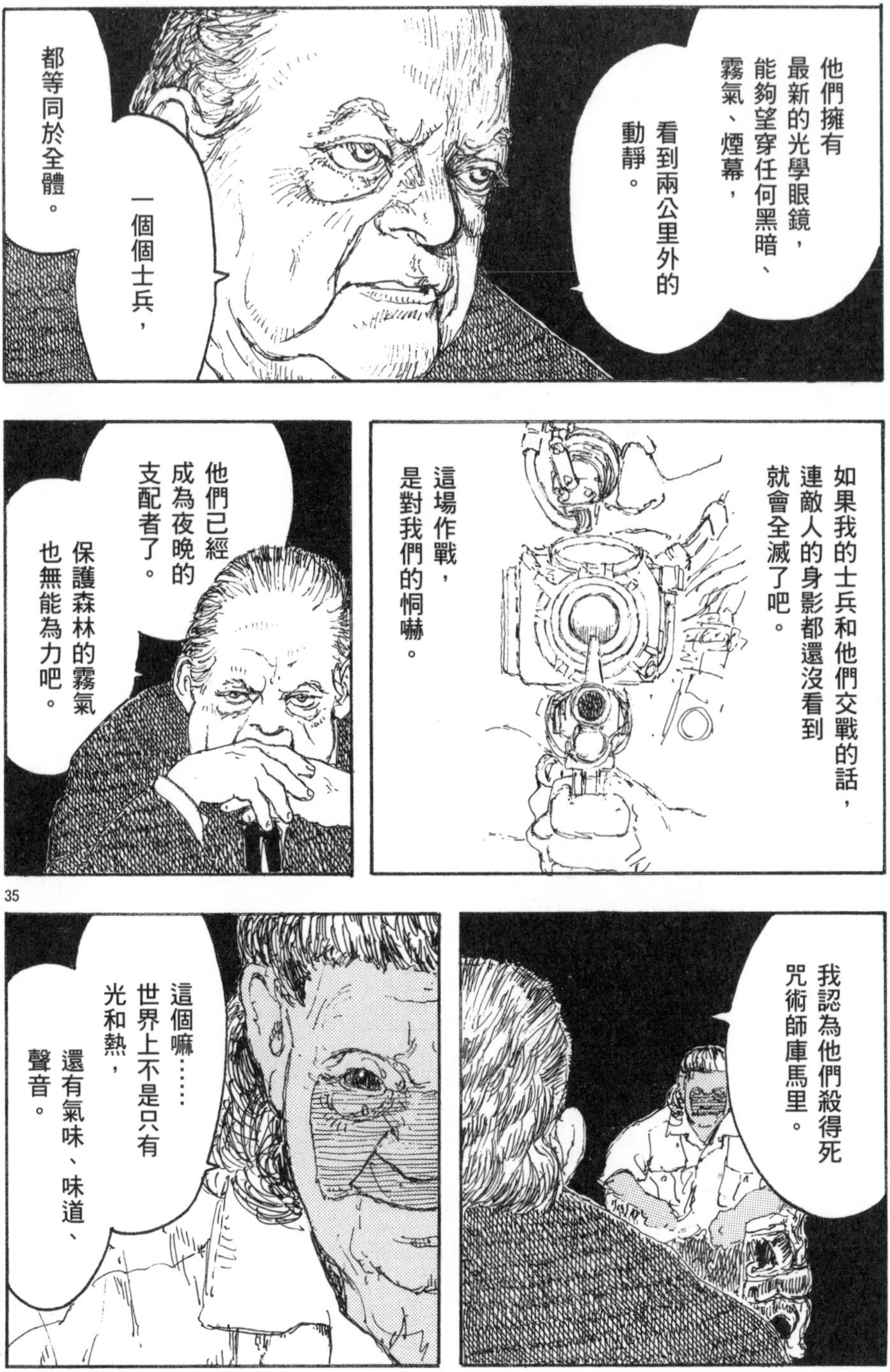
他們擁有最新的光學眼鏡，能夠望穿任何黑暗、霧氣、煙幕，
看到兩公里外的動靜。
一個個士兵，
都等同於全體。
如果我的士兵和他們交戰的話，連敵人的身影都還沒看到就會全滅了吧。
這場作戰，是對我們的恫嚇。
他們已經成為夜晚的支配者了。
保護森林的霧氣也無能為力吧。
我認為他們殺得死咒術師庫馬里。
這個嘛……世界上不是只有光和熱，
還有氣味、味道、聲音。

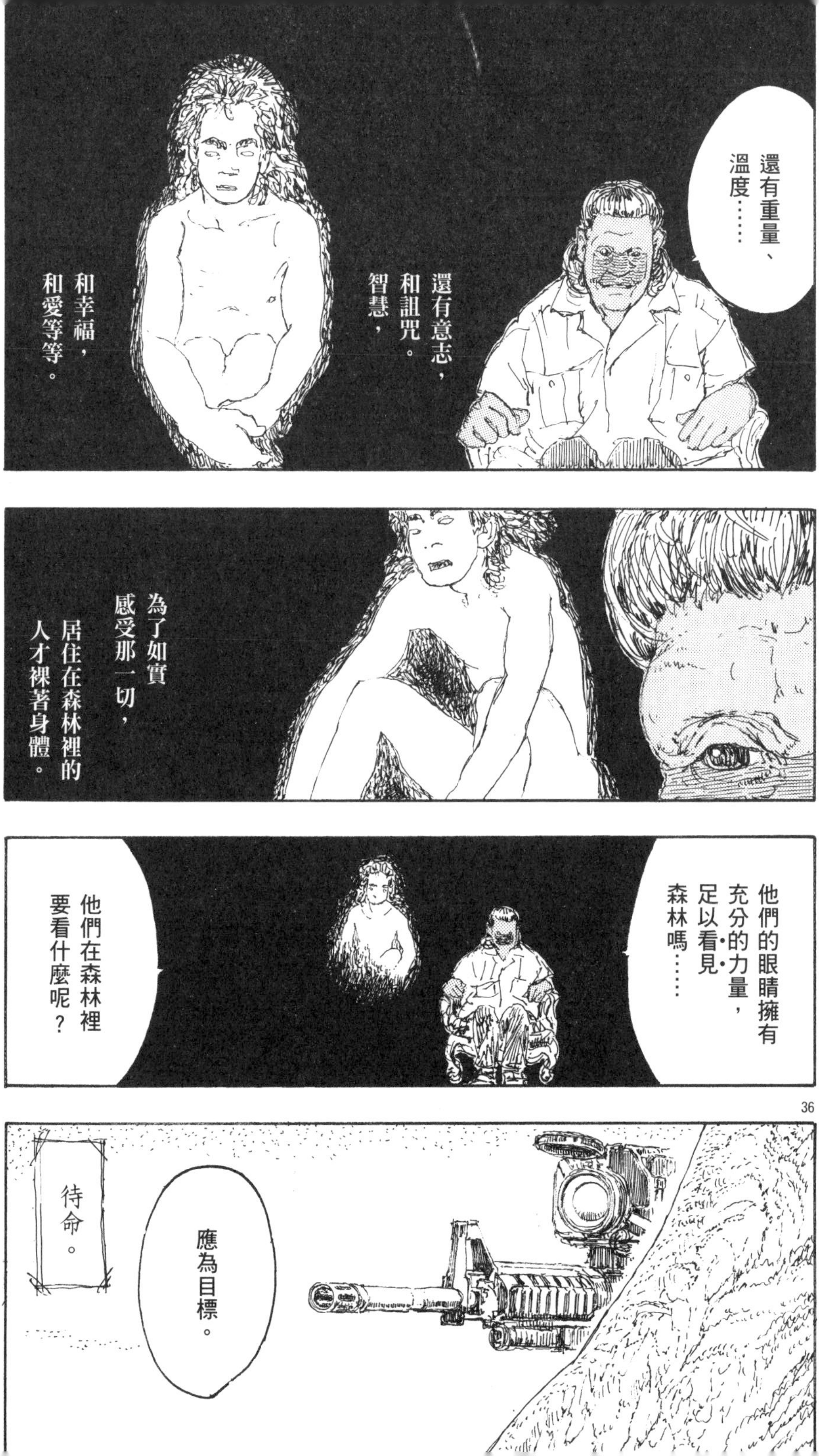
還有重量、溫度……
還有意志，和詛咒。智慧，
和幸福，和愛等等。
為了如實感受那一切，居住在森林裡的人才裸著身體。
他們的眼睛擁有充分的力量，足以看見森林嗎……
他們在森林裡要看什麼呢？
應為目標。
待命。

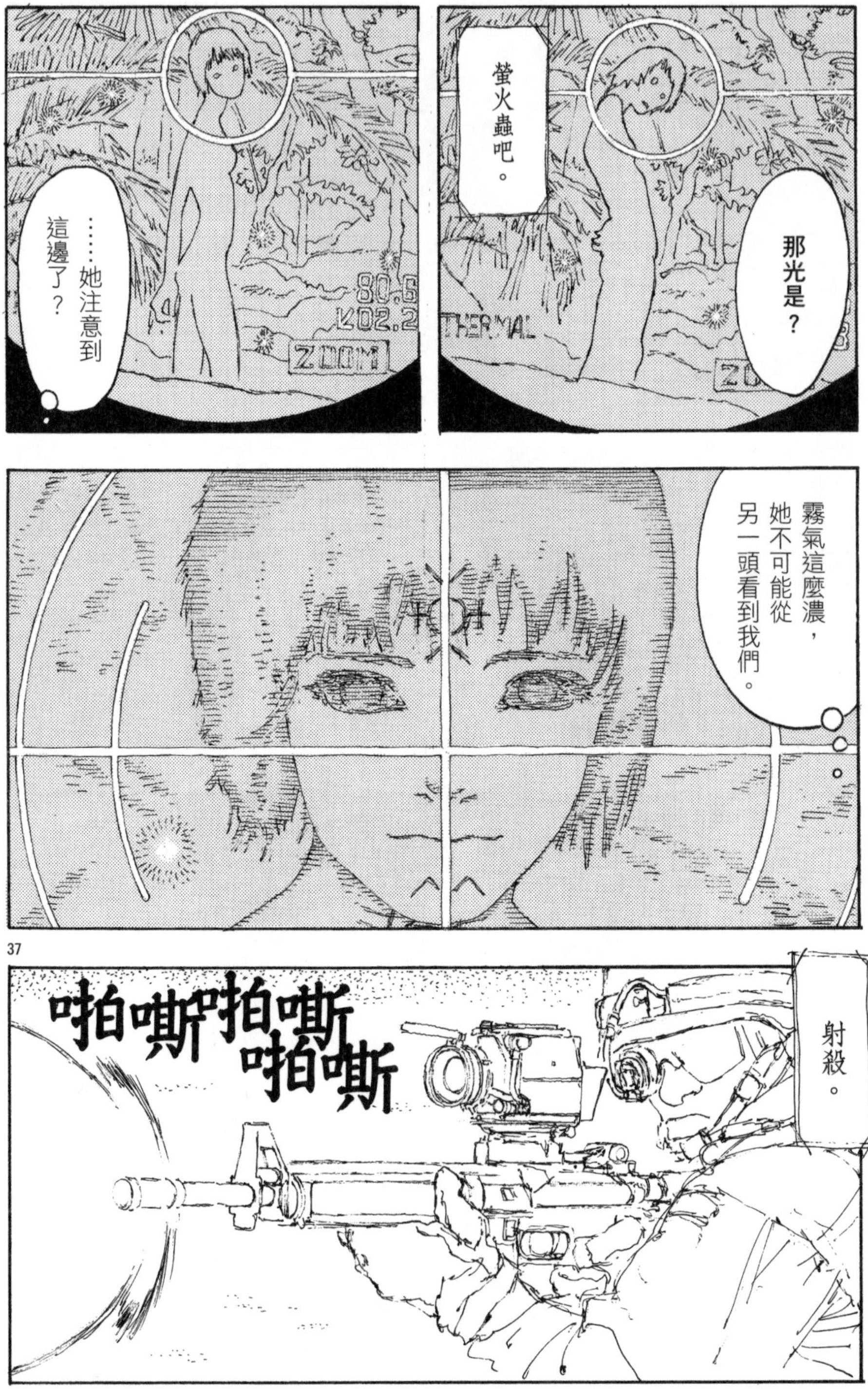
那光是？
螢火蟲吧。
……她注意到這邊了？
80.6
K02.2
ZOOM
THERMAL
霧氣這麼濃，她不可能從另一頭看到我們。
射殺。
啪嘶啪嘶啪嘶

37

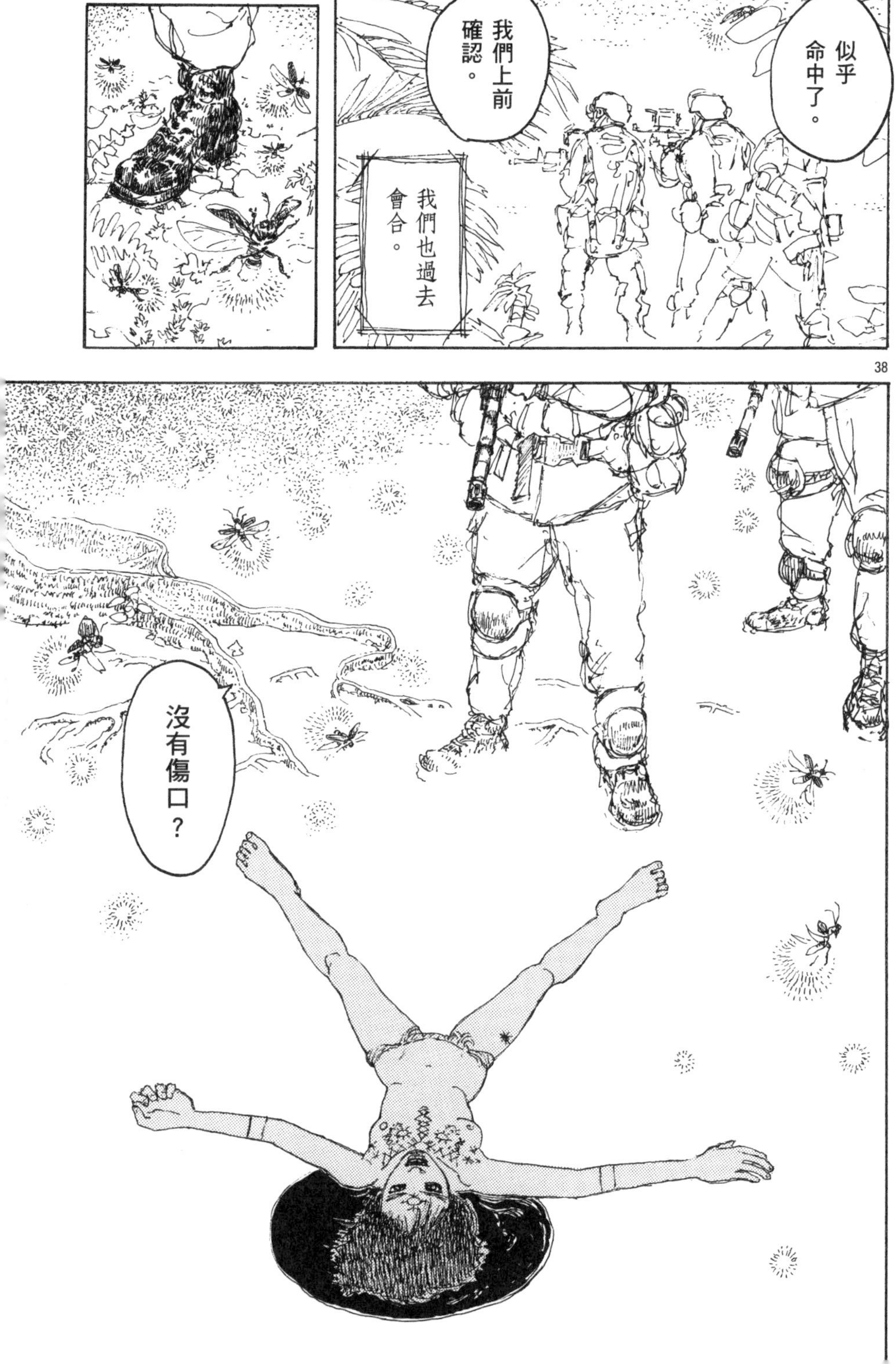
似乎命中了。
我們上前確認。
我們也過去會合。
沒有傷口？

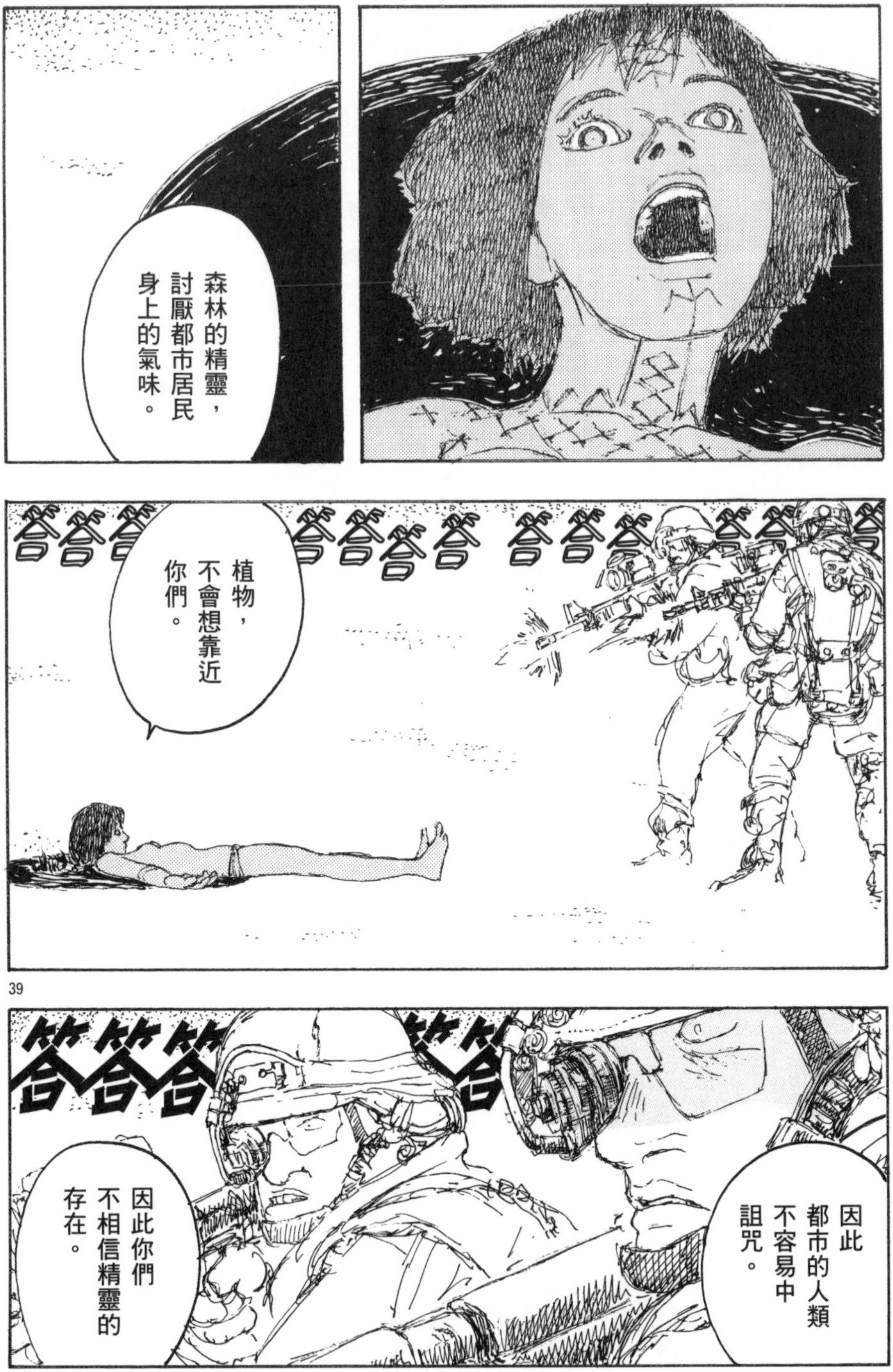
森林的精靈，討厭都市居民身上的氣味。
答答答答答答答答答答答答答答答
植物，不會想靠近你們。
答答答答
因此都市的人類不容易中詛咒。
因此你們不相信精靈的存在。

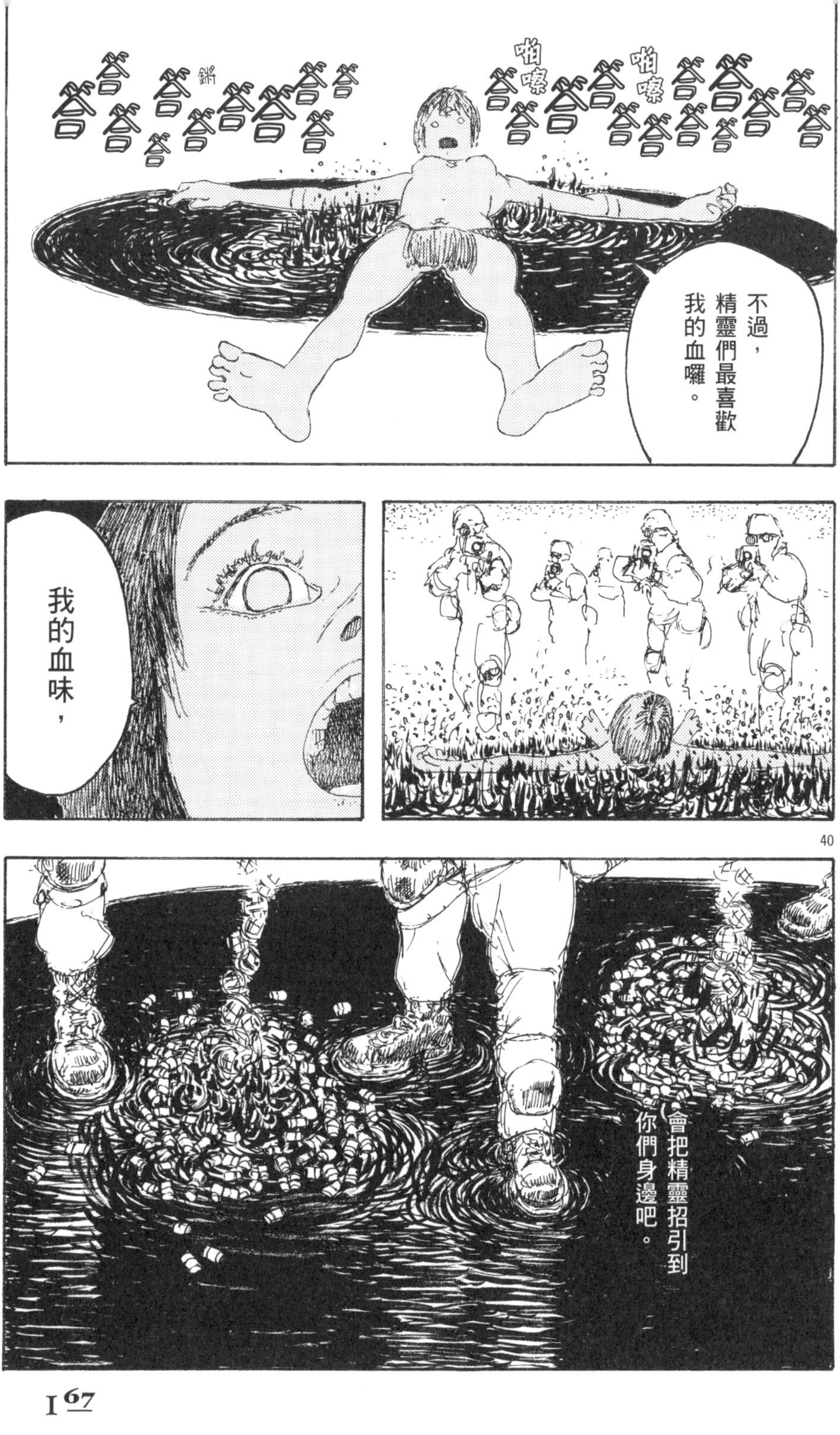

啪嚓
啪嚓
鏘
不過，精靈們最喜歡我的血囉。
我的血味，
40
會把精靈招引到你們身邊吧。

準備好要看見他們了嗎？

歡迎來到精靈的世界。

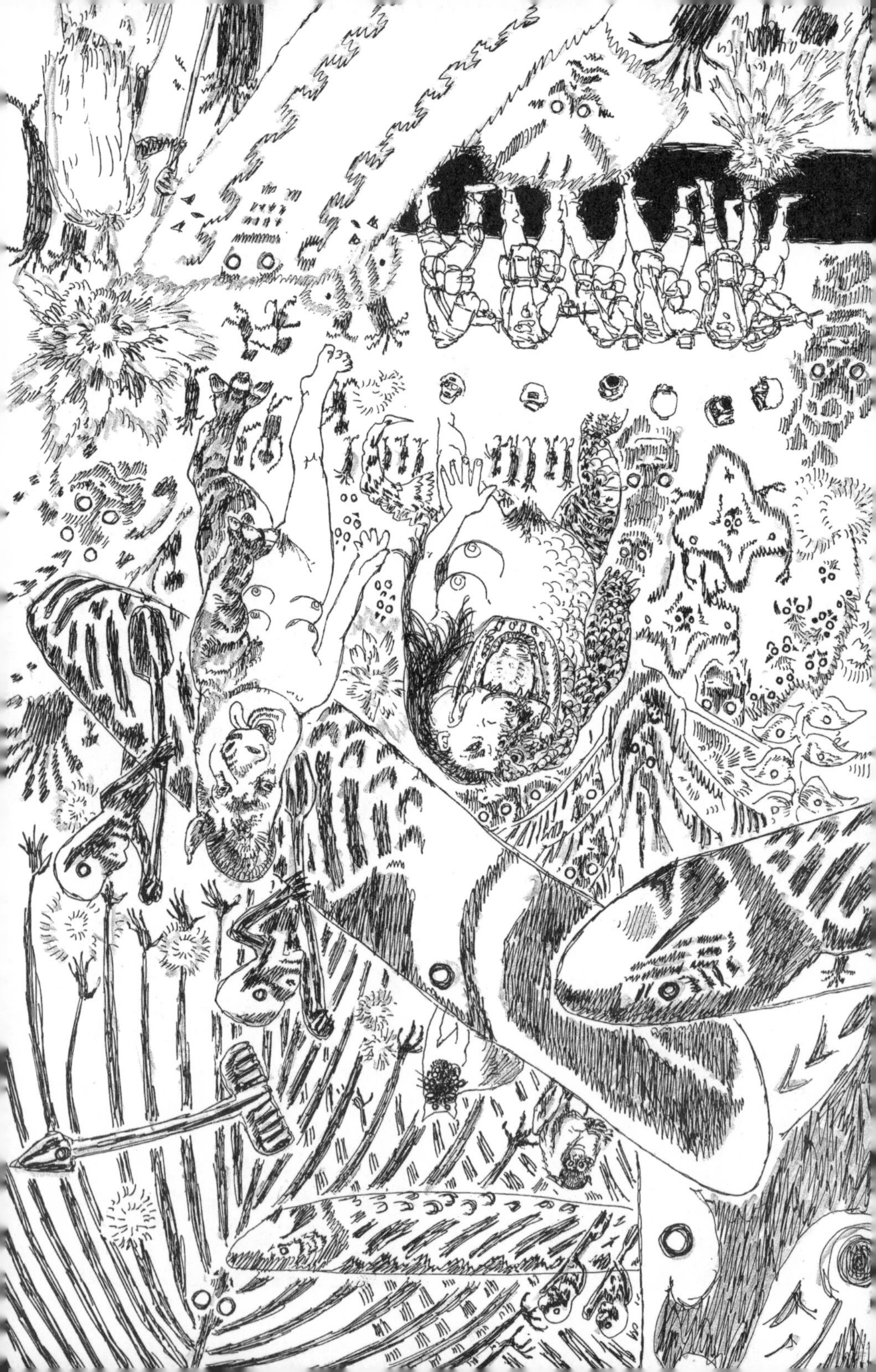

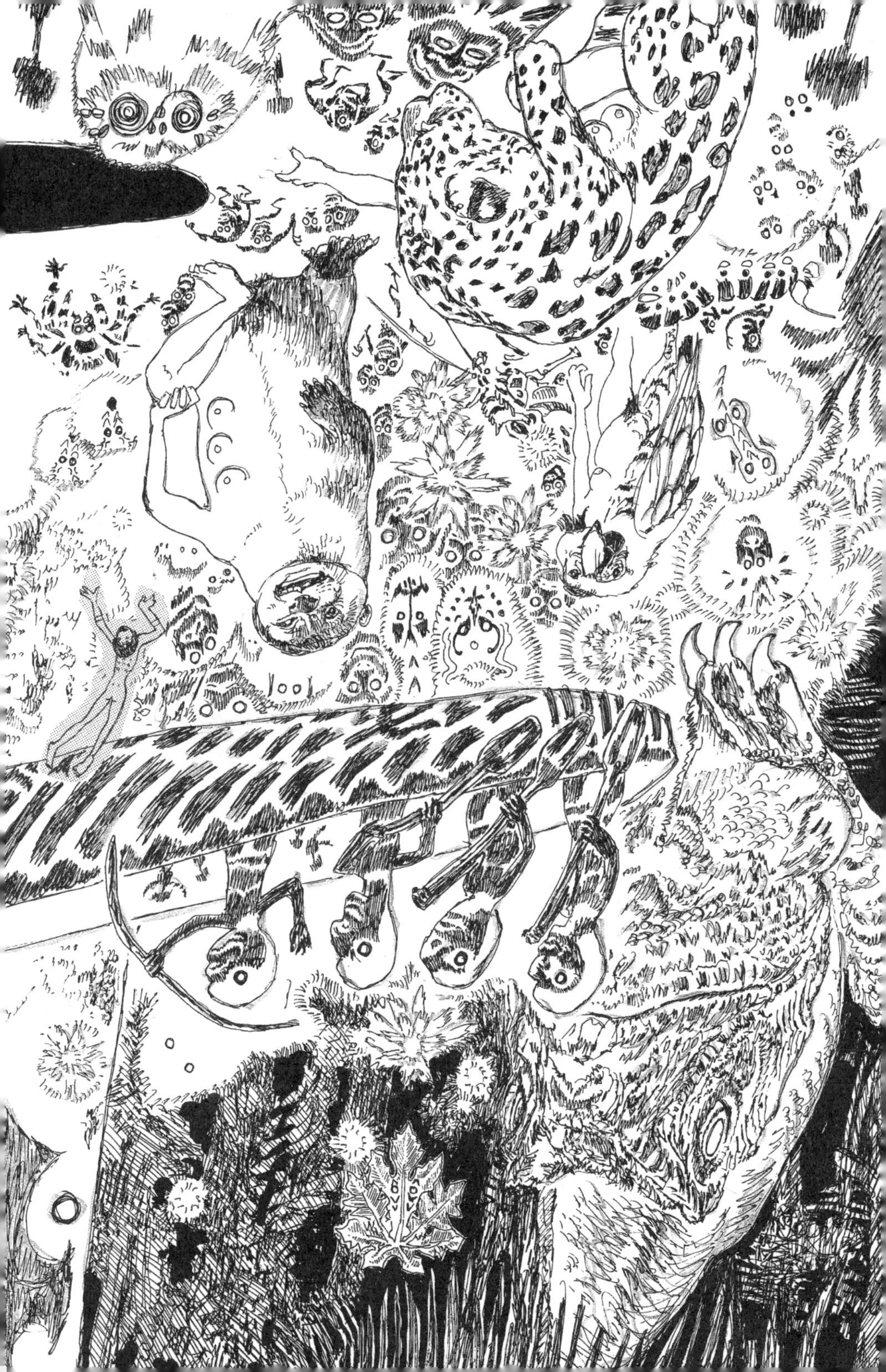

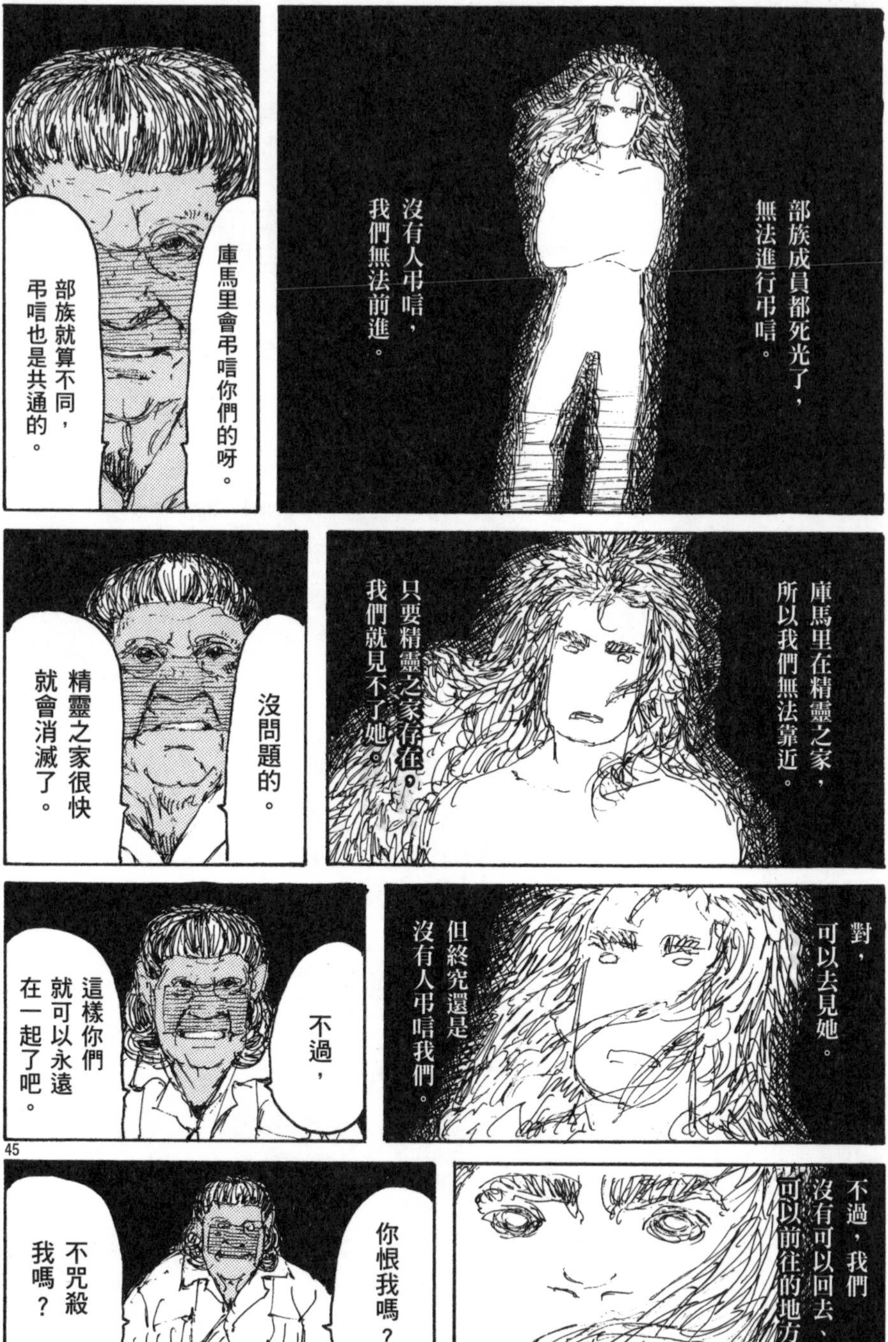
部族成員都死光了，無法進行弔唁。
沒有人弔唁，我們無法前進。
庫馬里會弔唁你們的呀。
部族就算不同，弔唁也是共通的。
庫馬里在精靈之家，所以我們無法靠近。
只要精靈之家存在，我們就見不了她。
沒問題的。
精靈之家很快就會消滅了。
對，可以去見她。
但終究還是沒有人弔唁我們。
不過，
這樣你們就可以永遠在一起了吧。
45
不過，我們沒有可以回去、可以前往的地方。
你恨我嗎？
不咒殺我嗎？

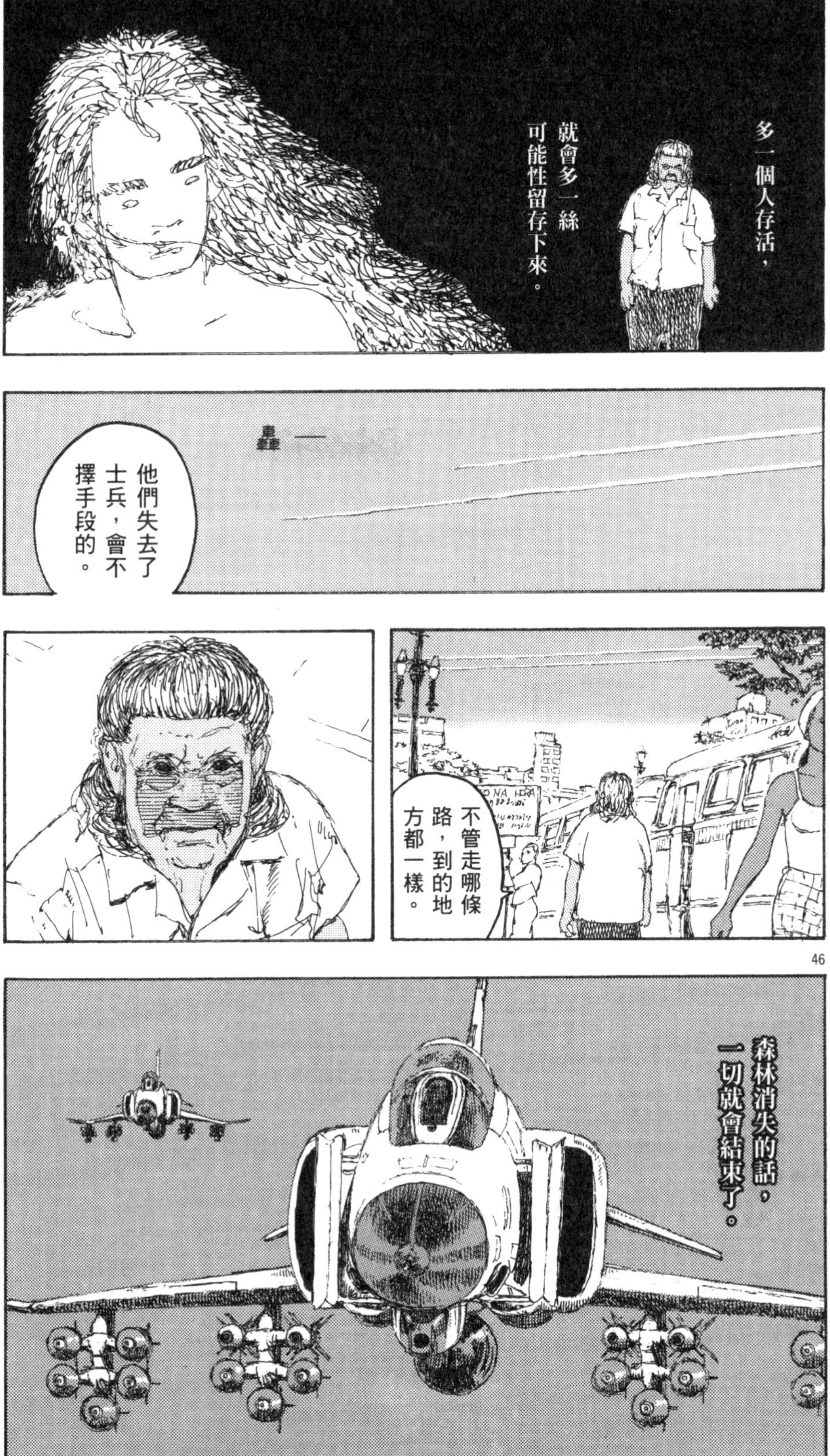
多一個人存活，
就會多一絲
可能性留存下來。
轟
他們失去了士兵，會不擇手段的。
不管走哪條路，到的地方都一樣。
森林消失的話，
一切就會結束了。

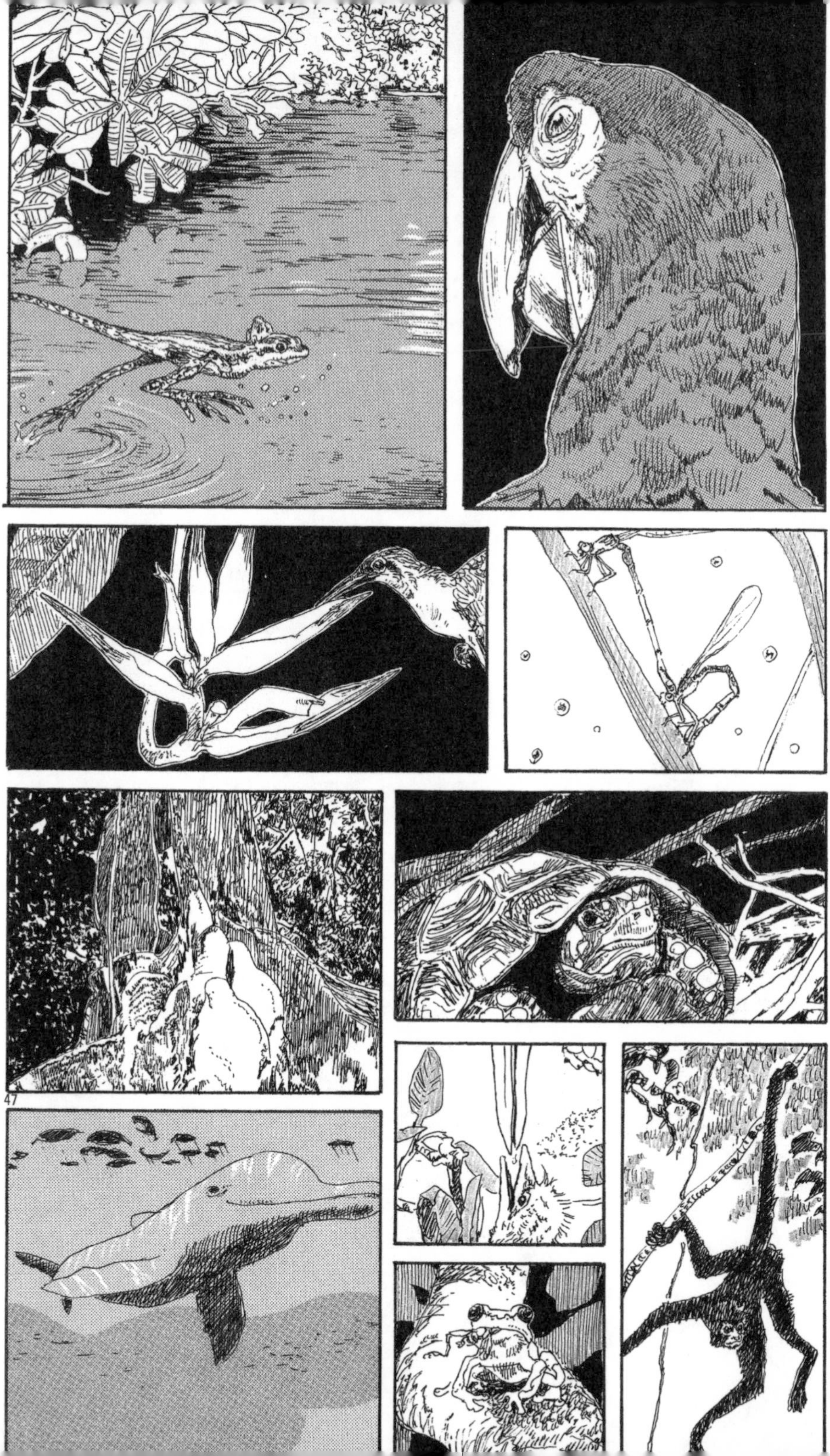

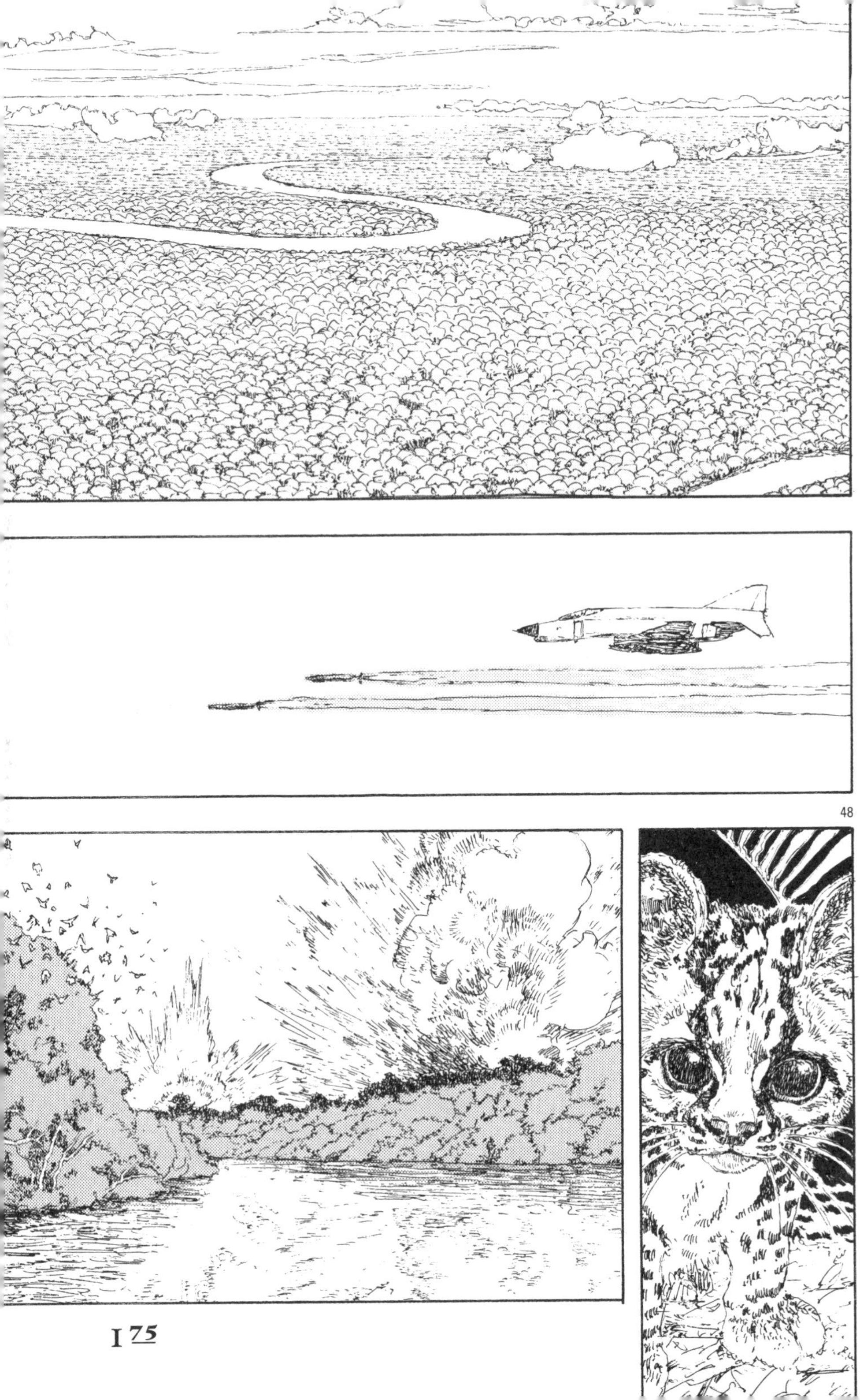

48

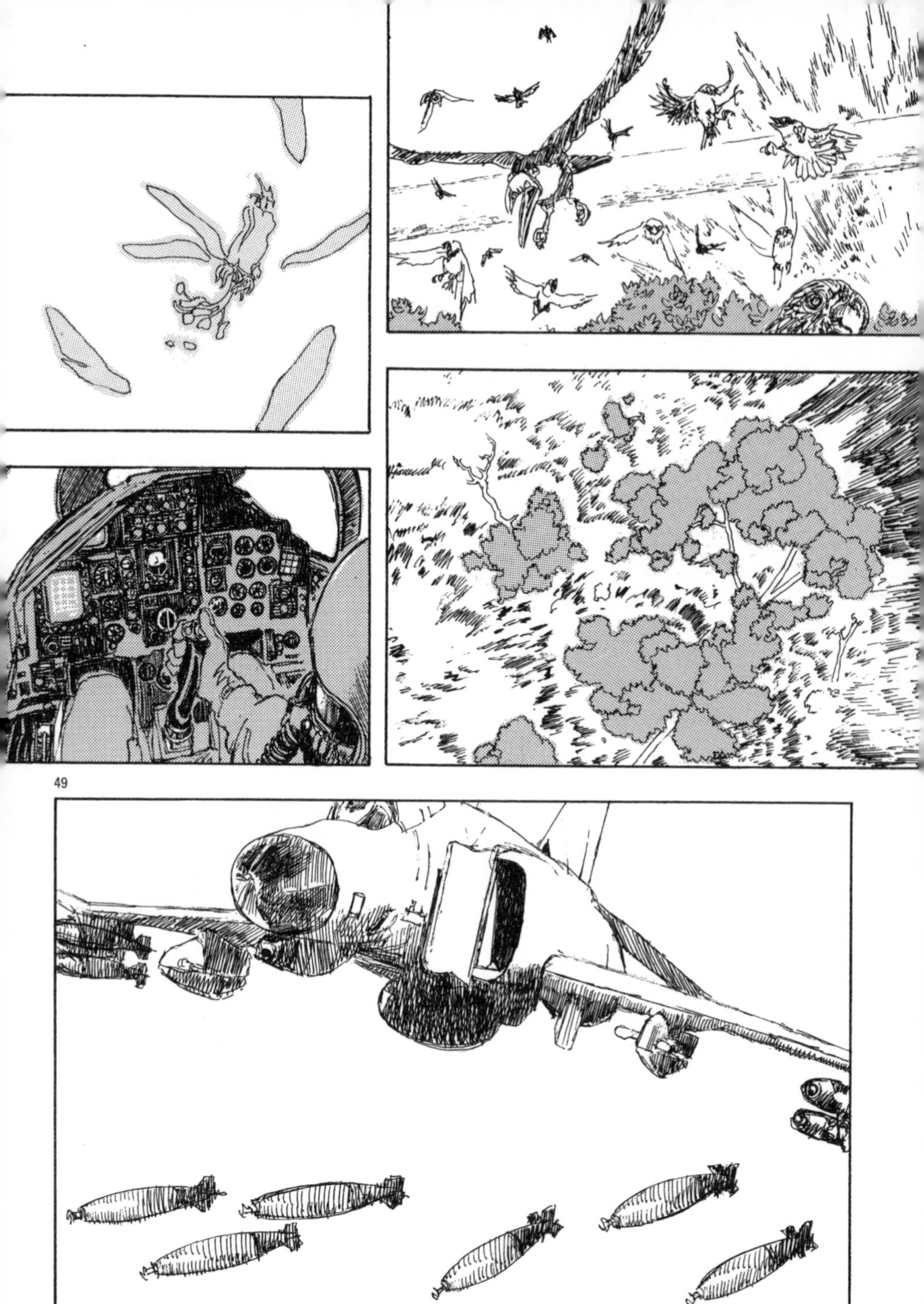

49

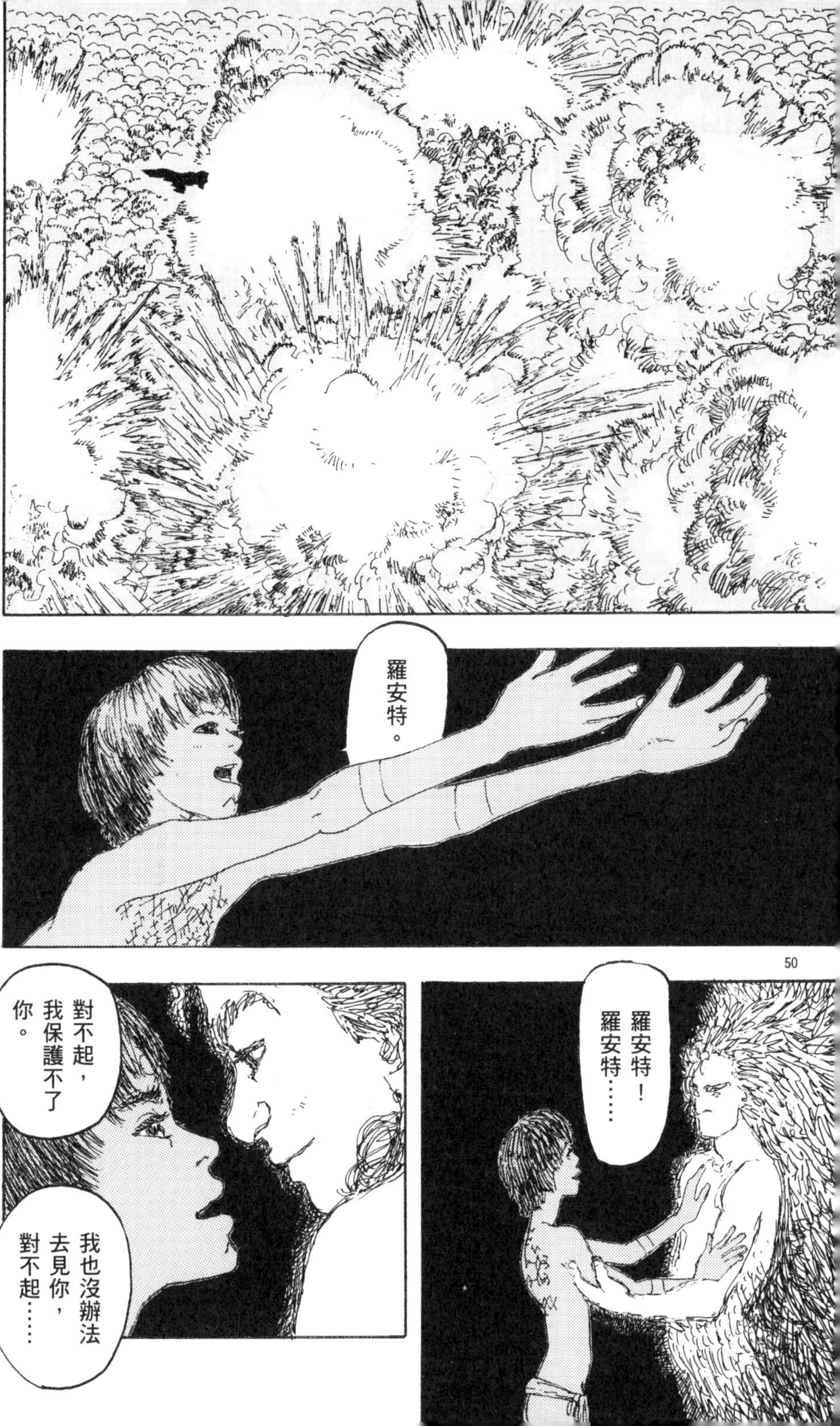
羅安特。
羅安特！羅安特……
對不起，我保護不了你。
我也沒辦法去見你，對不起……

誘爆した。

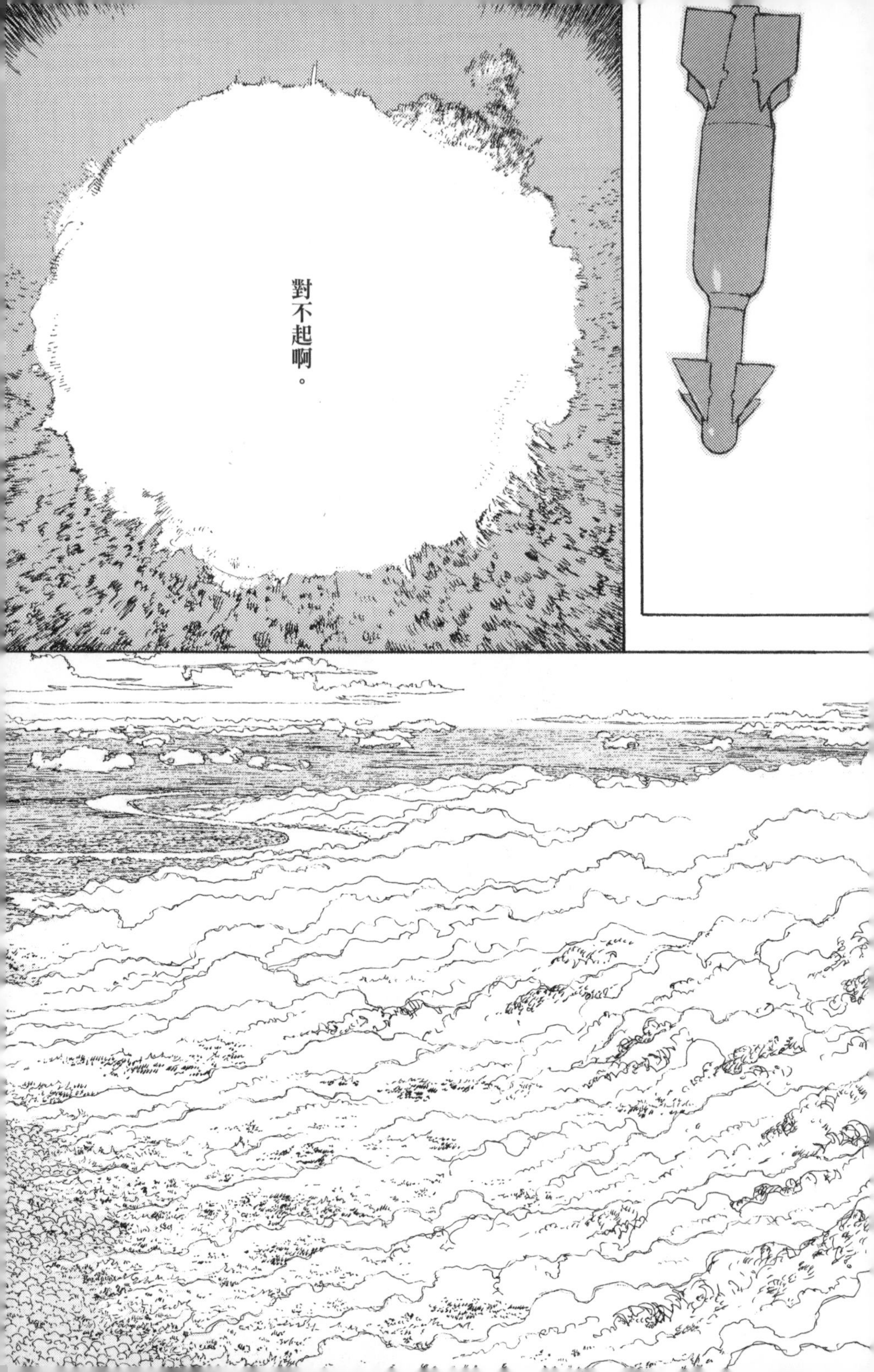

I 79

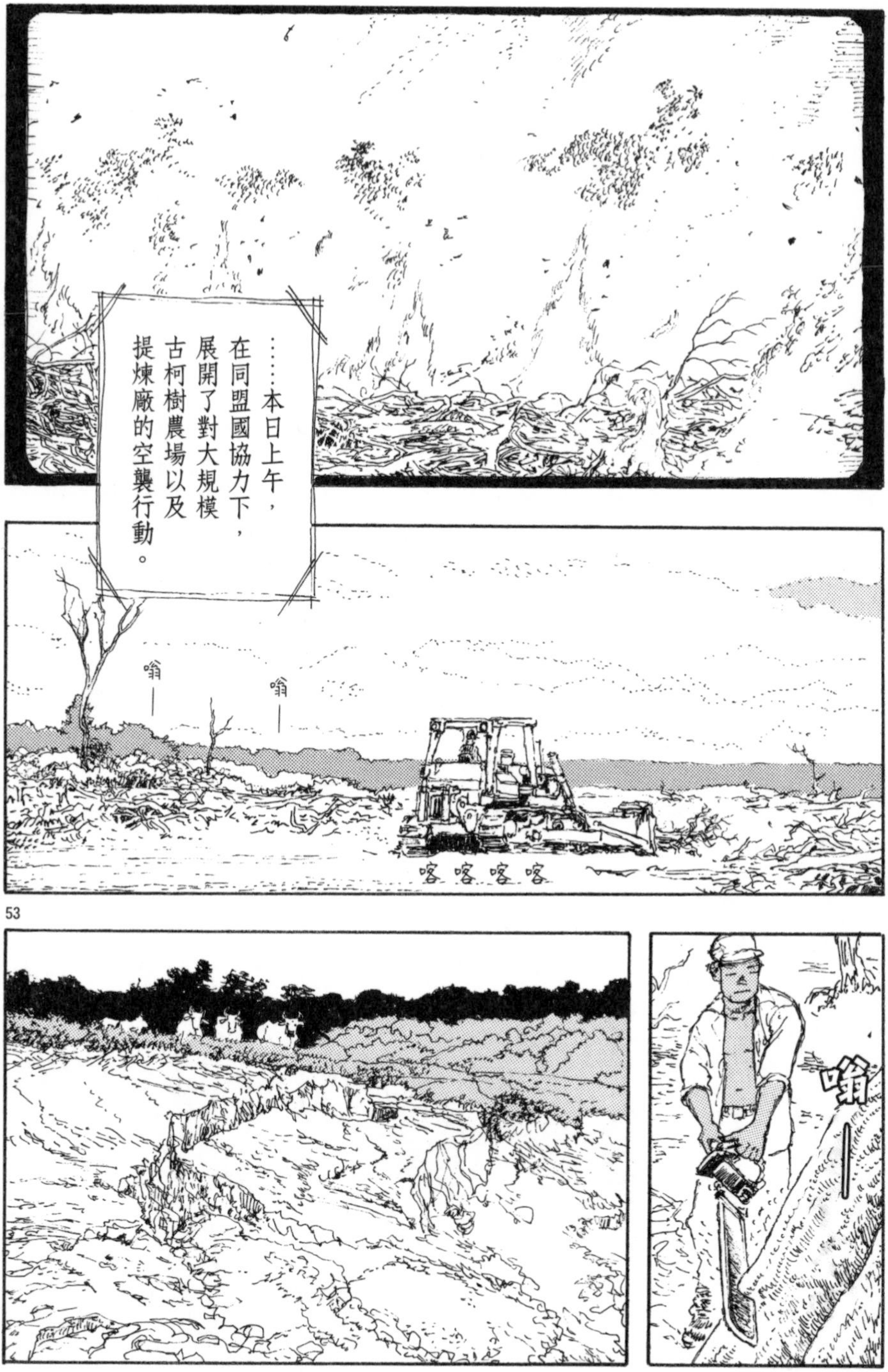
……本日上午，
在同盟國協力下，
展開了對大規模
古柯樹農場以及
提煉廠的空襲行動。
嗡——
嗡——
喀喀喀喀
嗡——

53

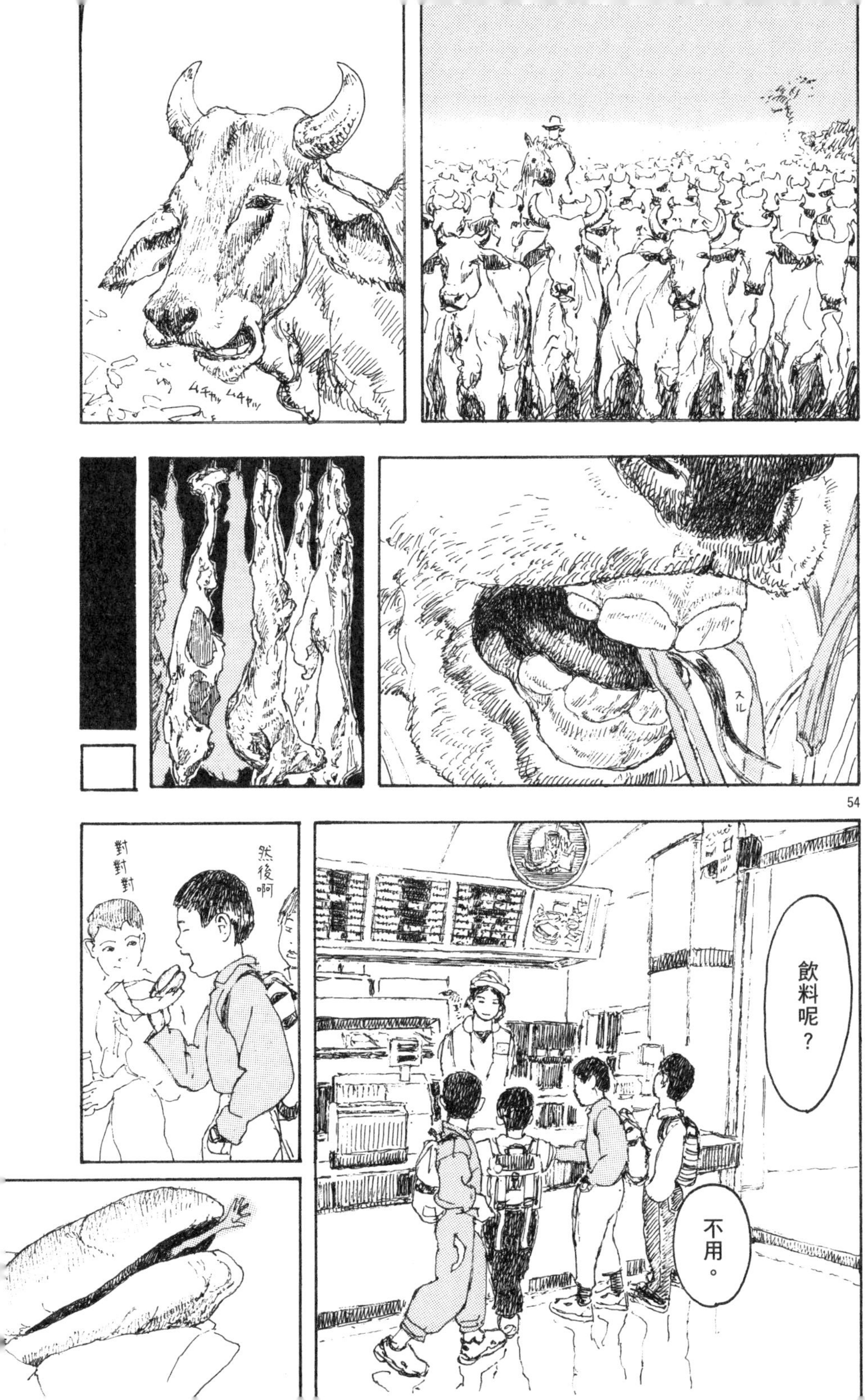
ムチャ ムチャ
スル
然後啊
對對對
飲料呢？
不用。

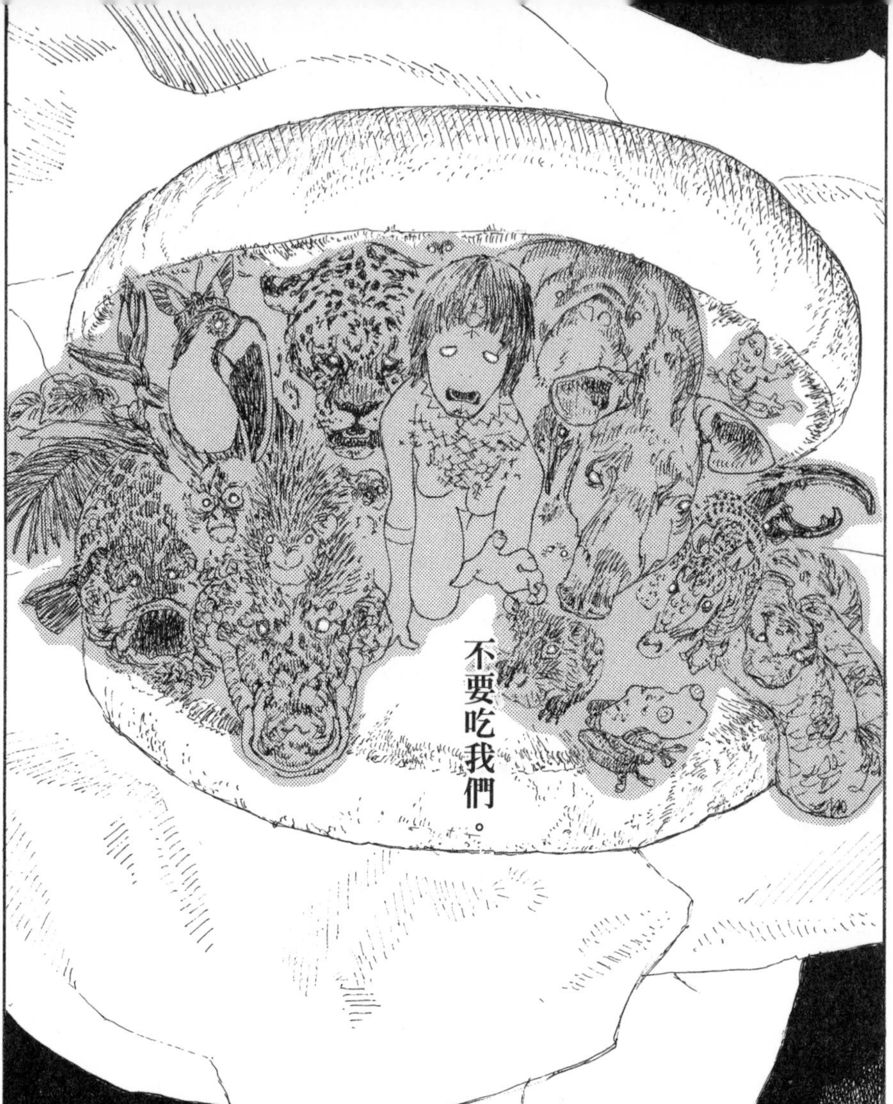

55

KUARUPU 終

十二月七日，
進入村莊。
家家戶戶門口都曬著玉米
做為長期保存食品。
據說他們會將玉米粒
磨成粉，配粥或麵包，
而芯當作燃料使用。

1

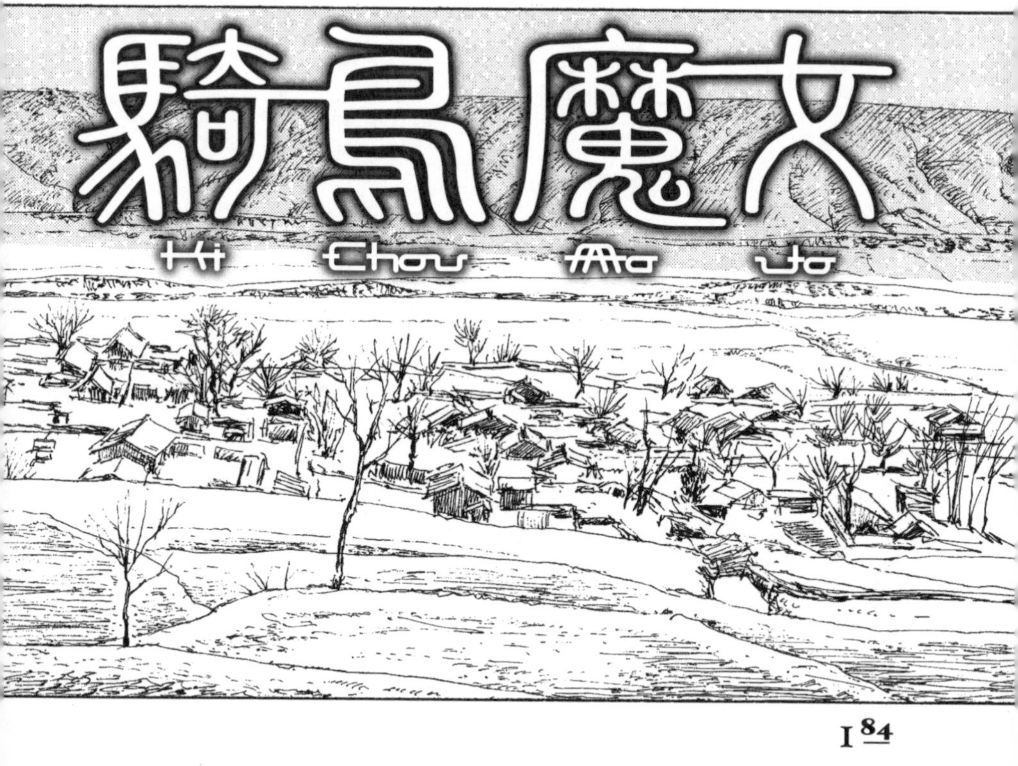
騎鳥魔女
Ki Chou Ma Jo

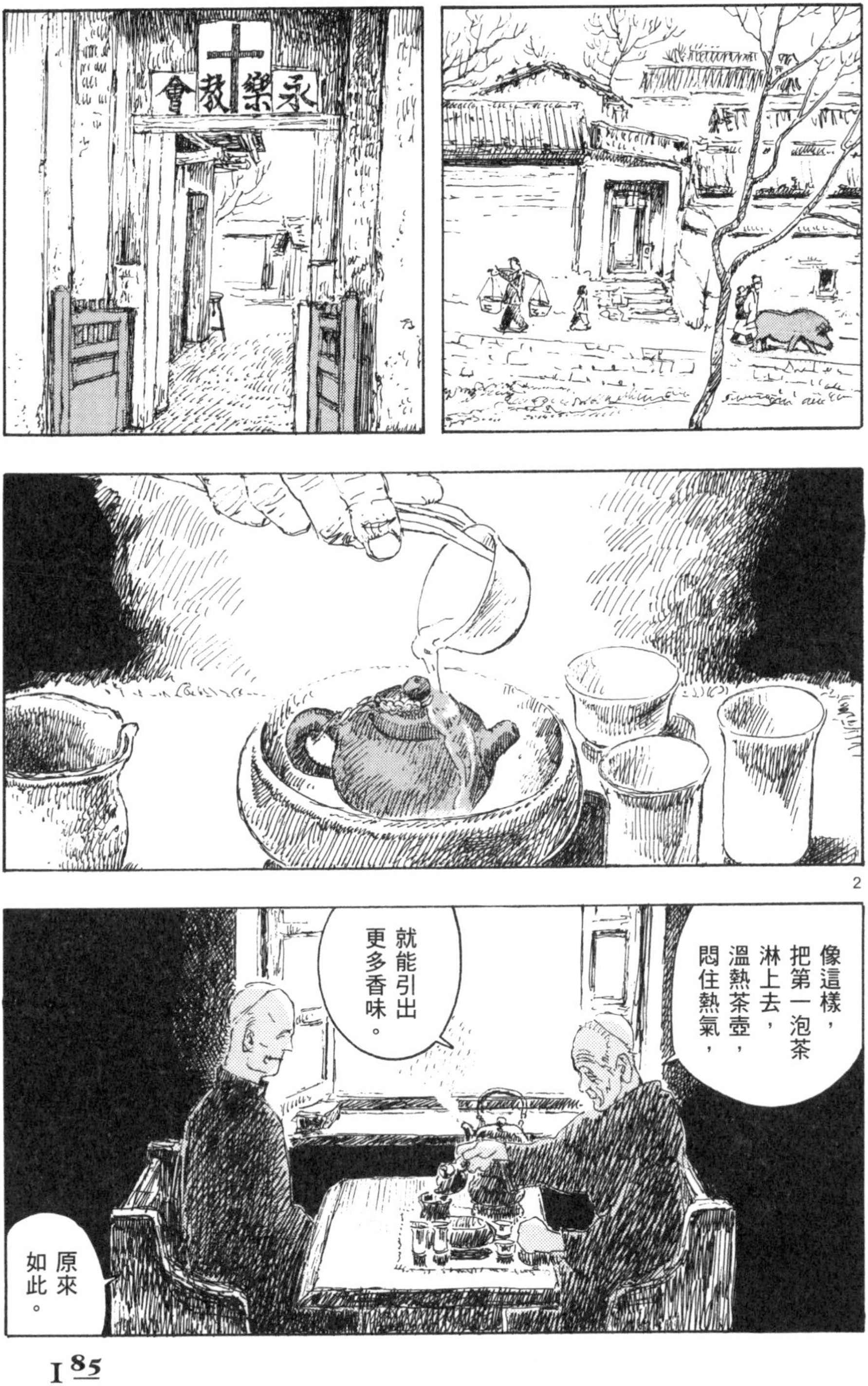
永樂教會
2
像這樣，把第一泡茶淋上去，溫熱茶壺，悶住熱氣，
就能引出更多香味。
原來如此。

真棒的香味啊。
我要開始品嘗了。
啾。
喔，又來啦。
她就像這樣，經常會在我享受好茶時來找我呢。
只不過，其他人似乎看不到她呢。
咚
這就是令妹嗎？

是的，我死去的妹妹變成了魔女，回來告訴我各種事情呢。
她是那麼說的嗎？
是的，我相信她。
今天她說了什麼嗎？
……說會有石頭掉下來。
似乎是擁有巨大力量的石頭。
只說了這樣嗎？

叩
只有這樣。
我總是很期待這短暫的相逢時光喔。
啊，您已經到了啊。
我們似乎在路上錯過了。
您特地跑這麼遠……
他大約是三年前，開始說鳥背上坐著魔女的。

那位大人對任何人說話都一視同仁，沒有分別心……
呃……說來有點丟臉，他因為太有人望，招人忌妒，所以有傳言說他被惡魔附身了……
我們十分尊重那位大人，他是很了不起的一個人。
該怎麼做才能保護他呢……
想著想著，我豁出去寄了一封信給您。
沒想到您直接前來這偏遠之地……
6
他的事蹟，我也時常耳聞。
我原本就希望見他一面，遲早要見的。
這樣啊……呃，那麼……
當然沒問題了！根本沒有惡魔附身那回事。
反而是我們應該要留意他的預言內容才對。
這應該會成為……

「異端裁判所」的官方見解的。
這樣啊，哎，我當然原本就很相信你，不過現在我真的是安心了。
畢竟，
他年紀都一大把了，還變得這麼愛說夢話，真是叫人……
不，那根本就不是什麼夢話。
咦？
因為我也看到了。
啾啾啾……
騎鳥的魔女。

7

魔女　第一集　完

魔女 第1集

PaperFilm FC2059

2021年6月 一版一刷 2024年3月 一版九刷

作　　者／五十嵐大介
譯　　者／黃鴻硯
責任編輯／謝至平
行銷企劃／陳彩玉、楊凱雯、陳紫晴
中文版裝幀設計／馮議徹
排　　版／傅婉琪
編輯總監／劉麗真
事業群總經理／謝至平
發 行 人／何飛鵬
出　　版／臉譜出版
城邦文化事業股份有限公司
台北市南港區昆陽街16號4樓
電話：886-2-25007696 傳真：886-2-25001952
發　　行／英屬蓋曼群島商家庭傳媒股份有限公司城邦分公司
台北市南港區昆陽街16號8樓
客服專線：02-25007718；25007719
24小時傳真專線：02-25001990；25001991
服務時間：週一至週五上午09:30-12:00；下午13:30-17:00
劃撥帳號：19863813 戶名：書虫股份有限公司
讀者服務信箱：service@readingclub.com.tw
城邦網址：http://www.cite.com.tw
香港發行所／城邦（香港）出版集團有限公司
香港九龍土瓜灣土瓜灣道86號順聯工業大廈6樓A室
電話：852-25086231 傳真：852-25789337
新馬發行所／城邦（新、馬）出版集團
Cite（M）Sdn. Bhd.（458372U）
41-3, Jalan Radin Anum, Bandar Baru Sri Petaling,
57000 Kuala Lumpur, Malaysia.
電話：603-90563833 傳真：603-90576622
電子信箱：services@cite.my

售價：250元
本書如有缺頁、破損、倒裝，請寄回更換

ISBN 978-986-235-942-6

Taiwan Chinese edition, for distributions and sale in Taiwan,
Hong Kong, Macau, Singapore and Malaysia only.
日本小學館正式授權繁體中文版。限台灣及港澳、新馬地區發行販賣。